TK_cGKe5Z8uTupziK

Estimado cliente,

Para acceder a la versión electrónica de este libro, por favor, acceda a **http://onepass.aranzadi.es**

Tras acceder a la página citada, introduzca su dirección de correo electrónico (*) y el código que encontrará en el interior de la cubierta del libro. A continuación pulse enviar.

Si se ha registrado anteriormente en **"One Pass"** (**), en la siguiente pantalla se le pedirá que introduzca la contraseña que usa para acceder a la aplicación **Thomson Reuters ProView™.** Finalmente, le aparecerá un mensaje de confirmación y recibirá un correo electrónico confirmando la disponibilidad de la obra en su biblioteca.

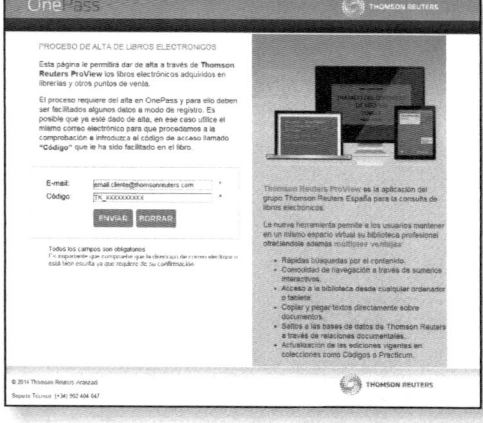

Si es la primera vez que se registra en **"One Pass"** (**), deberá cumplimentar los datos que aparecen en la siguiente imagen para completar el registro y poder acceder a su libro electrónico.

- Los campos **"Nombre de usuario"** y **"Contraseña"** son los datos que utilizará para acceder a las obras que tiene disponibles en **Thomson Reuters Proview™** una vez descargada la aplicación, explicado al final de esta hoja.

Cómo acceder a **Thomson Reuters Proview™:**
- **iPad:** Acceda a AppStore y busque la aplicación **"ProView"** y descárguela en su dispositivo.
- **Android:** acceda a Google Play y busque la aplicación **"ProView"** y descárguela en su dispositivo.
- **Navegador:** acceda a **www.proview.thomsonreuters.com**
- **Aplicación para ordenador:** acceda a **http://thomsonreuters.com/site/proview/download-proview** y en la parte inferior dispondrá de los enlaces necesarios para descargarse la aplicación de escritorio para ordenadores Windows y Mac.

(*) Si ya se ha registrado en **Proview™** o cualquier otro producto de Thomson Reuters (a través de One Pass), deberá introducir el mismo correo electrónico que utilizó la primera vez.

(**) **One Pass:** Sistema de clave común para acceder a Thomson Reuters Proview™ o cualquier otro producto de Thomson Reuters.

ARANZADI | CIVITAS | LEX NOVA

EL LENGUAJE JURÍDICO ACTUAL

LUIS MARÍA CAZORLA PRIETO

Catedrático de Derecho Financiero y Tributario
Universidad Rey Juan Carlos
Académico de Número de la Real de Jurisprudencia y Legislación
Abogado

EL LENGUAJE JURÍDICO ACTUAL

SEGUNDA EDICIÓN

Prólogo
EDUARDO GARCÍA DE ENTERRÍA
Catedrático Emérito de la Universidad Complutense de Madrid

THOMSON REUTERS
ARANZADI

Primera edición, 2007
Segunda edición, 2013

THOMSON REUTERS PROVIEW˜ eBOOKS
Incluye versión en digital

© 2013 [Thomson Reuters (Legal) Limited / Luis María Cazorla Prieto y otros]
Editorial Aranzadi, SA
Camino de Galar, 15
31190 Cizur Menor (Navarra)
ISBN: 978-84-9014-724-5
Depósito Legal: NA 2029/2013
Printed in Spain. Impreso en España
Fotocomposición: Editorial Aranzadi, SA
Impresión: Rodona Industria Gráfica, SL
Polígono Agustinos, Calle A, Nave D-11
31013 - Pamplona

A mi hijo Pablo
en sus primeros pasos universitarios

Sumario

NOTA A LA SEGUNDA EDICIÓN

I

Cuando, agotada la primera edición del Lenguaje jurídico actual, Aranzadi Thomson Reuters, a través de las siempre amables y diligentes Amalia IRABURU y Mónica NICOLÁS, me invitó a preparar la segunda, sentí una honda satisfacción.

En estos tiempos en los que vender un libro constituye casi una heroicidad, que haya motivo para la preparación de una segunda edición sobre el lenguaje jurídico actual es algo excepcional y para alegrarse mucho. Además, a la segunda edición no se ha llegado ni mucho menos de sopetón –la primera data de 2007–, sino poco a poco, con un interrumpido goteo, que pone de relieve que el libro ha calado y encontrado su hueco en la copiosa literatura jurídica.

II

Lo primero que me plantee en agosto de 2013 con el océano Atlántico y las costas marroquíes de Tánger, Arcila y Larache a la vista en el horizonte próximo, fue el alcance que debía dar a la preparación de esta nueva edición. Aunque haya mudado de colección por conveniencias editoriales, ¿debía cambiar la naturaleza del libro o debía mantenerla actualizándola?

No lo dudé mucho: tenía que respetar la naturaleza del libro, de lo contrario entregaría un nuevo libro, no una edición del anterior. El lenguaje jurídico actual era y es un ensayo, con la correspondiente huella muy personal del autor y con las limitaciones de toda obra ensayística, y así ha de permanecer.

Ahora bien, sin apartarme un ápice de las imposiciones ensayísticas, he añadido al libro algún epígrafe nuevo al hilo de cómo ha evolucionado la materia en los últimos años, de las relecturas de autores clásicos en los que he encontrado nueva semilla de pensamiento, y de las lecturas de la importante producción escrita de autores que permanecen y de otros que van llegando a este campo.

Por último, he aprovechado también la oportunidad que se me ha brindado para abordar dos tareas siempre inacabables para todo autor que se esmere. He releído el texto varias veces y he subsanado las deficiencias estilísticas que recuerdan en todo momento que escribir bien es una meta alcanzable para muy pocos. Y he mantenido la sempiterna lucha con las erratas, esas maculillas que nunca dejan de aparecer y el autor empeñarse –tarea casi imposible– en que desaparezcan[1].

Luis María CAZORLA PRIETO

Novo Sancti Petri (Chiclana de la Frontera, Cádiz),

19 de agosto de 2013

---

1. Como escribe Gregorio SALVADOR, «Palabra de más», Tercera del ABC, 2 de noviembre de 2001: «Las erratas en cualquier texto impreso son inevitables, a veces graciosas, generalmente inocuas, en ocasiones irritantes, y sobre ellas está todo dicho y no lo voy a repetir. Son como las moscas: por mucha higiene, por mucha precaución, por mucho insecticida, siempre aparece alguna cuando menos se espera».

PRÓLOGO

El libro que ha escrito el Profesor Luis Mª CAZORLA es un trabajo detenido y certero que acredita su capacidad de análisis, así como una preocupación de perfección y de crítica respecto de un lenguaje que él mismo ha probado con reiteración que ha sabido usar con propiedad y con rigor. El Derecho es especialmente lenguaje. La Ley es un precepto que no surge de la propia exigencia interna, con su componente intuitivo o informulado, sino que proviene de una autoridad externa que ha de expresar en palabras, y en palabras precisas que excluyan todo equívoco, su mandato, el cual, si además pretende ser general, ha de resultar comprensible en iguales términos por todos. El juez tiene jurisdicción, esto es, facultad de «decir el Derecho» en el caso concreto, que lo es justamente la Sentencia. Los agentes jurídicos más ordinarios operan igualmente con ese instrumento. Los pactos o contratos se cierran sobre las palabras («el buey por el asta y el hombre por la palabra», es un viejo apotegma); o en la clásica formulación romana de las XII Tablas: *uti lingua nuncupassit, ita ius esto,* esto es, lo que la lengua hable, eso es derecho. Los testadores «declaran su voluntad» mediante palabras escritas u orales; las víctimas denuncian; los testigos declaran; los abogados informan o dictaminan o aconsejan; los notarios hacen «escrituras»; los funcionarios redactan interminables expedientes o resoluciones, publican edictos o reglamentos; los alcaldes bandos; los policías escriben atestados; los ciudadanos firman constantemente solicitudes o recursos o declaraciones, etc. El mundo jurídico es, pues, un vasto e interminable rumor de palabras que pretenden, con cierta torpeza y con equilibrios precarios, que cuando se quiebran intentan, por cierto, recomponerse con nuevas palabras, ordenar la vida social y dirigirla hacia la justicia y la seguridad. El rasgueo de las plumas de los «escribanos» viene a ser el fondo último de esa música general, que atrae, incita, atemoriza y aburre, todo a la vez, ordinariamente por turno, a la humanidad desde que comprendió que para sobrevivir era inexcusable organizarse.

El quehacer del jurista es, por ello, en muy buena medida, interpretar textos, el de la Ley en primer término (art. 3º del Código Civil: «las normas se interpretarán según el sentido propio de las palabras, en relación con su contexto»), o los contratos (art. 1281 del mismo Código: «si los términos de un contrato son claros y no dejan duda sobre la intención de los contratantes se estará al sentido literal de sus cláusulas...»), o los testamentos (art. 675:

«toda disposición testamentaria deberá entenderse en el sentido literal de sus palabras, a no ser que...»), o los documentos (arts. 1218 y 1225), o las confesiones (art. 1242), o los asientos de los Registros públicos (art. 38 de la Ley Hipotecaria), etcétera.

La ciencia del Derecho es, pues, en uno de sus componentes fundamentales, hermenéutica, como decían ya las Partidas («el saber de las Leyes non es tan solamente en aprender e decorar las letras de ellas, mas el verdadero entendimiento de ellas») y como hoy ha tematizado más técnicamente un sector doctrinal inspirado en GADAMER, y, en fin, como acredita el hecho notorio de que los debates jurídicos son normalmente debates sobre palabras –de un legado, de un contrato, de un testigo–.

Resulta, pues, que la palabra es una materia prima primordial para que el Derecho pueda trenzar su complejo sistema. Por ello la estructura y la función del lenguaje trasladan sus imperativos hacia la estructura y la función mismas del Derecho.

Con esta aproximación, puramente descriptiva, de la significación del lenguaje en el sistema y en la vida misma del Derecho no queremos sino enfatizar el interés destacado que por fuerza ha de tener una reflexión sistemática y analítica sobre la significación del lenguaje jurídico, como la que nos ofrece este cuidado libro del profesor CAZORLA. No se trata, pues, de una simple reflexión ocasional sobre los términos jurídicos, como la que podría ofrecer un lingüista, desde una perspectiva no propiamente jurídica, sino léxica o filológica. El sabio análisis que nos ofrece su autor está hecho desde el núcleo mismo de la ciencia jurídica, por un autorizado y docto jurista, con el hábito del manejo y la reflexión sobre el lenguaje de los sectores del Derecho que él está acostumbrado a manejar. No es, por tanto, una reflexión abstracta, propia acaso o de la pura filología o incluso de la teoría general del Derecho, sino realizada por un experto aplicador de un sector entero del Derecho, con el hábito, pues, del manejo diario de sus términos propios. Me parece que seguramente en esta circunstancia puede radicar el mayor interés de este trabajo, en cuyo contenido se interesarán con seguridad los juristas de todas las especialidades, que habrán de reconocer en las pertinentes reflexiones del autor elementos vivos de su propia experiencia.

Saludamos con el mayor respeto esta importante contribución del autor a un tema que es, como he indicado, consustancial a todos los juristas, con la confianza de que éstos, de cualquier especialidad, habrán de encontrar en este trabajo una ayuda cualificada para el mejor desarrollo de su función.

Eduardo GARCÍA DE ENTERRÍA

Catedrático Emérito de la Universidad Complutense de Madrid

I

EL LENGUAJE COMO PUNTO DE PARTIDA

A. INTRODUCCIÓN

1. La ligazón entre lenguaje y Derecho es esencial, continua e interdependiente[1]. «En todo oficio la palabra puede ser útil, incluso necesaria. En el mundo del Derecho la palabra es indispensable. Nuestras herramientas, dice el jurista italiano CARNELUTTI, no son más que palabras. Todos empleamos palabras para trabajar, mas para nosotros los juristas son la materia prima precisamente. Las leyes están hechas con palabras, como las casas con ladrillos. Nosotros somos ingenieros de las palabras»[2]. Otro autor con predominio de formación extrajurídica va incluso más allá: «Un jurista ha de conocer bien la propia lengua y las peculiaridades del lenguaje jurídico porque de su correcta expresión depende, en muchos casos, la justa solución de los problemas»[3].

Esta férrea ligazón permite ser analizada desde muy distintos puntos de

---

1. Son muy significantes las siguientes afirmaciones del maestro Antonio HERNÁNDEZ GIL, «El lenguaje en el Código Civil», Saber jurídico y lenguaje, obras completas, tomo 6, Espasa Calpe, Madrid, página 373: «Mi preocupación por la relación existente entre el lenguaje y el Derecho puede sintetizarse diciendo que se manifiesta en estos dos sentidos: el Derecho es lenguaje y el Derecho es como el lenguaje».
   Como más recientemente ha escrito L. DÍEZ PICAZO, en su discurso Derecho y literatura pronunciado en la apertura del curso académico 2009-2010 del Instituto de España y las Reales Academias, Real Academia de Jurisprudencia y Legislación, Madrid, 14 de octubre de 2009, página 36: «Para el Derecho y para los juristas, la palabra, el lenguaje es un instrumento de trabajo y un arma tanto de ataque como de defensa». A su vez, G. ROBLES MORCHÓN, Comunicación, lenguaje y Derecho; discurso de recepción en la Real Academia de Ciencias Morales y Políticas, sesión del 3 de noviembre de 2009, página 30, señala: «Que el Derecho se manifiesta por medio del lenguaje es una verdad evidente. La palabra constituye la misma entraña del Derecho en cualquiera de sus manifestaciones»
2. C. RODRÍGUEZ AGUILERA, El lenguaje jurídico, Bosch, Barcelona, 1969, página 7.
3. R. Mª JIMÉNEZ YÁÑEZ, «¿Se puede enseñar a persuadir a los alumnos de Derecho con el metadiscurso? Una propuesta docente», Revista de Llengua i Dret, número 59, 2013, página 44.

vista. Desde el más general e ideático, como es el filosófico[4], hasta el más concreto y pragmático como es el gramatical, del que hay abundantes muestras a lo largo de este trabajo. El enfoque al que se acoge a lo largo de las líneas que ahora comienzan es variado. No es desde luego el filosófico, sí es el socio-político, semántico y gramatical, ligado a la práctica y no a las concepciones generales, aunque algún apunte de éstas se puede hallar movido por la necesidad de entroncar lo particular con lo general.

Por otro lado, tarea imprescindible para el entendimiento entre el que escribe y su lector es la delimitación de la materia sobre la que se va a desplegar el diálogo entre estos dos actores. Dicho en palabras con más vestidura científica: imprescindible es la fijación del objeto preciso sobre el que recae el trabajo que se emprende. Tarea ésta, además, difícil si el que coge la pluma entiende que, en beneficio del lector, debe proceder a tal delimitación desde las primeras líneas que abren camino.

¿Cuál es el objeto sobre el que tiene que crecer el trabajo que empezamos? Su objeto es, por una parte, el estudio desde el punto de vista apuntado del lenguaje jurídico tanto considerado en sí mismo como en su relación con los medios de comunicación social y, por otra, el lenguaje de estos medios en materia jurídica. La primera vertiente de tal objeto es la principal y la segunda la secundaria.

El objeto de este libro se erige, pues, sobre dos cimientos que le dan aliento no aislados uno con respecto al otro –lenguaje jurídico por un lado y lenguaje de los medios de comunicación social por otro–, sino en conjunción, entreveradas una y otra forma de expresión.

Aspiramos a culminar los propósitos anunciados de la mano del método ensayístico. En palabras más directas, lo que empezamos a escribir es un ensayo. No un tratamiento general, completo y exhaustivo del tema abordado, sino un estudio más ceñido, tópico y limitado en el que por encima de todo predominarán las opiniones y juicios de valor del que escribe[5].

---

4. Puede consultarse en este sentido, y entre otros, a E. Pérez Luño, «Análisis del lenguaje y teoría de la argumentación en el Derecho», Trayectorias contemporáneas de la Filosofía y la Teoría del Derecho, Innovación Editorial Lagares, Sevilla, 2003, páginas 59 y siguientes, y J. R. Capella, El Derecho como lenguaje, Ariel, Barcelona, 1968.
5. Llama J. Marías, «El ensayo en España», en Los españoles, Madrid, Revista de Occidente, 1962, páginas 201 y 202, ensayo a «toda obra, grande o pequeña, no meramente didáctica y con doctrina personal», para añadir a continuación que «el autor de un libro de ensayo siempre "dice algo", frente a lo cual, de alguna manera, hay que tomar posición... todo "enunciado" atrae ojos inquisitivos y con frecuencia inquisitoriales». Sobre las características generales del ensayo puede consultarse el libro del Instituto Cervantes Saber escribir, coordinado por J. Sánchez Lobato, Madrid, 2006, páginas 440 y siguientes.

B. EL ALCANCE MATERIAL DEL LENGUAJE QUE NOS OCUPA

Abramos el Diccionario de la Real Academia de la Lengua. Nos encontramos con que el lenguaje «es el conjunto de sonidos articulados con que el hombre manifiesta lo que piensa o siente». Esta acepción es demasiado amplia para nuestros propósitos; es más ajustada la de «estilo y modo de hablar y escribir de cada uno en particular» que también nos brinda el mismo Diccionario. Tampoco conviene a nuestros propósitos la definición que recoge el Diccionario del español actual de Manuel SECO, Olimpia ANDRÉS y Gabino RAMOS: «Medio de comunicación humana que se basa en un sistema de signos constituidos por sonidos articulados»[6].

Pero ninguna de estas definiciones sirve con plenitud a la función de ceñir con ajuste la materia a la que queremos atenernos.

Quien escribe lleva varios años buscando los viejos libros de texto con los que a lo largo del bachillerato fue trabando los variados mimbres que constituyen el fundamento último de su formación. Mira por donde se ha topado en el libro Lengua Española (segundo curso) que utilizó con poco más de diez años con la definición que le sirve ahora para dar un paso más: «Lenguaje es el conjunto de medios con que expresamos nuestros sentimientos e ideas. Puede ser, como sabemos, oral, escrito y mímico. También entran en la categoría del lenguaje las señales acústicas o visuales»[7].

Pues bien, dentro del amplio abanico de modalidades que admite el lenguaje como medio para expresar sentimientos e ideas nos centramos en el lenguaje oral y escrito; las demás quedan al margen.

C. EL OBJETO DEL ENSAYO EN PARTICULAR

A la luz de lo anterior, los temas sustanciales que componen el objeto del presente ensayo son tres, sin perjuicio de que la descomposición que reclame su tratamiento dé lugar a los desgloses pormenorizados que procedan.

En primer término, abordaré el análisis de algunas de las características que integran la naturaleza del lenguaje jurídico en sí tanto en su versión escrita como en la oral. Tras el examen de las características comunes de ambos lenguajes, nos adentraremos en las singulares de cada uno de ellos. Continuaré con el examen de ciertas características de la sociedad contemporánea con trascendencia para el lenguaje jurídico, con particular referencia

---

6. M. SECO, O. TORRES y G. RAMOS, Diccionario del español actual, Aguilar, 1999, segundo tomo, página 2811.
7. Lengua Española. Segundo curso, Editorial Luis Vives, Zaragoza, 1958, página 183.

a la transparencia y publicidad. Formularé a continuación nuestras propuestas para caminar hacia un lenguaje jurídico más en sintonía con las circunstancias reinantes hoy.

Mas el lenguaje jurídico nos interesa no sólo en sí. Nos interesa también en su relación con los medios de comunicación social. Las distintas facetas de la relación entre el lenguaje jurídico y los medios de comunicación social en la sociedad contemporánea componen el segundo aspecto sobre los que se proyecta el trabajo emprendido.

El tercer aspecto escapa ya del campo del lenguaje jurídico. En su desarrollo nos plantearemos las características que cabe reclamar del lenguaje de los medios de comunicación social que recaiga sobre materias jurídicas.

He aquí los ejes cordiales del programa que paso a exponer sin más preámbulos.

II

LAS CARACTERÍSTICAS DEL LENGUAJE JURÍDICO

A. INTRODUCCIÓN

Aclaramos líneas atrás que de las distintas manifestaciones del lenguaje nos ceñimos a la oral y la escrita.

El lenguaje jurídico posee unas características generales predicables tanto del oral como del escrito; «los juristas –escribió el maestro Joaquín GARRIGUES– vivimos de las palabras dichas o escritas. Somos vendedores de palabras –escribió en las líneas preliminares que acompañan a sus Dictámenes–. A diferencia de otra profesiones, resolvemos el problema con las palabras de la ley o con las palabras que nos sirven para interpretar la ley»[1]. Ahora bien, dentro del marco de tales características generales y, por tanto, comunes, otras singulares impregnan a una y otra modalidad del lenguaje jurídico.

B. CARACTERÍSTICAS COMUNES

1. EL LENGUAJE JURÍDICO ES UN LENGUAJE CON TENDENCIAS Y RESCOLDOS DEMIÚRGICOS Y ARCANOS

Se ha hablado de la demiurgia del discurso jurídico[2]. Recordemos que demiurgo equivale a creador en griego. Los platónicos y alejandrinos lo identificaban con el Dios creador; los gnósticos con el alma universal, principio creador del mundo.

---

1. J. GARRIGUES, Dictámenes de Derecho Mercantil, Madrid, 1976, página VIII.
2. Como ha escrito recientemente J. L. NAVAS OLÓRIZ, Seguridad jurídica y deontología, Escritura pública (ensayo de actualidad), Consejo General del Notariado, Madrid, 2006, página 10: «Corresponde a Karl OLIVECRONA (1897-1980) el mérito de haber replanteado con toda claridad el problema de la demiurgia del discurso jurídico».

El lenguaje jurídico tiene algo de demiúrgico y arcano[3]. Algo como perteneciente a un mundo superior y apartado del común propio de todo ser humano. El lenguaje jurídico es creador de algo que, llevado este planteamiento al extremo, no tiene existencia fuera de sí mismo. Su creación corresponde, a su vez, a las capas más elevadas de los iniciados (legisladores, jueces y profesores principalmente) y su utilización no está al alcance de cualquier ciudadano, sino del iniciado, que va desde el jurista más excelso hasta el rábula más rastrero. Todo jurista se constituye en mayor o menor grado en poseedor y defensor del logos o esencia singular de lo jurídico, y, como escribe George STEINER, «una concepción "logocrática" del lenguaje exige necesariamente un orden cultural elitista, incluso sacerdotal o mandarinesco»[4].

Guardan conexión con todo lo anterior las siguientes afirmaciones de Perfecto ANDRÉS IBÁÑEZ: «En el caso de la jurisdicción, el habitual hermetismo en el discurso es trasunto de una modalidad de poder, soberano en el viejo sentido, que se manifiesta en forma de diktat, como mandato desnudo y que se justifica de manera formal por el solo hecho de provenir de una determinada instancia. En ese contexto basta con que resulte claro el sentido del fallo al solo efecto de provocar una determinada actitud en el destinatario. La calidad de los antecedentes y el curso de formación de la misma resultan objetivamente indiferentes.

La preocupación por lo que supone ese modo de operar judicial es antigua y se concreta en una gama de variadas opciones operativas, desde el "juicio de Dios", a la prueba tasada, al principio de presunción de inocencia como regla de juicio conectado con el de contradicción y la exigencia de motivación. Ambos, considerados en la plenitud de sus implicaciones, expresan el máximo de conciencia sobre los problemas de la jurisdicción como forma de ejercicio del poder, una materia que afortunadamente preocupa cada vez más y en la que hay un largo camino por recorrer y que debería recorrerse.

El lenguaje forense es un punto en ese camino, pero sería un grave

---

3. El abogado Pablo BIEGER, «El abogado», El oficio de jurista, Siglo XXI, 2006, página 38, se refiere a los abogados como «Pomposos usuarios de un lenguaje arcano», para añadir a continuación: «Cierto, salvo honrosas excepciones –pero no en exclusiva: se trata de un defecto compartido con las demás profesiones jurídicas– ¿Por qué les sucede esto a los profesionales del Derecho? Probablemente, concurren varias causas», y destaca entre otras: «El gusto por el mantenimiento de ese lenguaje arcaizante, que se diría cumple una doble función: en primer lugar, imbuye al discurso –aunque sea vulgar– de cierta solemnidad sacral y, en segundo término, hace que lo dicho, sea lo que sea, parezca fundado en una tradición inveterada, sostenida de modo monocorde por eximios juristas del pasado».

4. G. STEINER, Los logócratas, Siruela, Madrid, 2006, página 26.

error hacerle objeto de una consideración aislada, porque es un síntoma, extraordinariamente elocuente, pero un síntoma»[5].

En palabras sintéticas, el lenguaje jurídico tiene ciertos rasgos de pertenencia a un mundo al margen del común de los ciudadanos. El acceso y movimiento por él solo es propio, además, de los iniciados o juristas.

Es cierto que exageramos, pero seamos conscientes de que rescoldos y tufillo de la huella demiúrgica vamos a encontrar impregnando otras características del lenguaje jurídico, algo que hay que tener en cuenta, entre otros extremos, en las relaciones de éste con los medios de comunicación social.

2. EL LENGUAJE JURÍDICO ES UN LENGUAJE ESPECIAL

a. Introducción

El lenguaje común es aquel a cuya comprensión y utilización puede acceder todo ciudadano dotado de las capacidades y los conocimientos básicos. El lenguaje especial, para hacerlo fácil, es el que no reúne estas características, por distintas razones a las que, en lo atinente a lo jurídico, haremos mención más adelante. Como escribe Jesús PRIETO DE PEDRO: «Un determinado grado de percepción de las implicaciones entre Derecho y lenguaje permite que el sintagma "lenguaje legal" designe hoy un lenguaje especial, objeto de una nueva pero creciente atención entre los lingüistas y los juristas; atención bastante escasa aún por más que el genial SAUSSURE hubiera ya advertido este hecho a principios del presente siglo: "un grado de civilización avanzado favorece el desarrollo de ciertas lenguas especiales (lengua jurídica, terminología científica, etc.)..."»[6].

b. Desarrollo

El lenguaje jurídico es especial en el pleno sentido de la palabra[7]. Con belleza y creatividad lo dice James BOYD WHITE: «El Derecho se contempla también mejor como un arte, que se desenvuelve según un lenguaje de arte»[8]. Si nos atenemos a sus esencias, el lenguaje jurídico ni es entendido

---

5. P. ANDRÉS IBÁÑEZ, «La argumentación y su expresión en la sentencia», en Lenguaje forense, Estudios de Derecho Judicial, número 32, Consejo General del Poder Judicial, Madrid, 2000, página 33.
6. J. PRIETO DE PEDRO, Lenguas, lenguaje y Derecho, Universidad Nacional de Educación a Distancia, Civitas, Madrid, 1991, página 143.
7. En este sentido se pronuncia B. M. HERNÁNDEZ, Lenguaje de la prensa, Eudema, Madrid, 1990, página 62.
8. J. BOYD WHITE, El arco de Hércules, Persuasión y comunidad en Filatetes de Sófocles, traducción del profesor Ricardo ALONSO GARCÍA, Thomson-Civitas, Madrid, 2004, página 20.

ni puede ser utilizado con propiedad por un ciudadano dotado de las capacidades y conocimientos básicos[9].

Los factores principales que, a nuestro juicio, atribuyen la especialidad al lenguaje jurídico son:

1'. Su carácter científico

No entramos en la polémica sobre el carácter más o menos científico del Derecho. Arranquemos de esa condición en el seno de las ciencias sociales y subrayemos la tendencia predominante de interconexión de todas las ramas que integran el árbol de la ciencia.

Como toda disciplina científica, la jurídica necesita de conceptos y categorías propios. Con ellos se logra dar un tratamiento unitario a un gran abanico de hechos y relaciones de toda clase y hacer posible el mejor entendimiento entre los operadores jurídicos.

Los conceptos y categorías jurídicos dan lugar o, por un lado, al nacimiento de elementos exclusivos del lenguaje jurídico o, por otro, a la atribución de un significado también exclusivo y además excluyente a elementos que ya existen con carácter previo en el lenguaje común.

El lenguaje al que dan nacimiento los conceptos y categorías jurídico-científicos es ideal, alejado por naturaleza de entes reales. Nos situamos ante un lenguaje ideal en el sentido que dio al concepto Bertrand RUSSELL[10]. Como tal sirve para desvelar y exponer la estructura o esqueleto lógico común del lenguaje ordinario. Sin embargo, su idealidad contribuye a la incomprensión de aquellos que no estén iniciados en él.

2'. Su carácter argumentativo por esencia y no por circunstancia

La expresión de ideas y pensamientos por medio del lenguaje jurídico no se limita a ser racional, tiene que ser fundamentada y justificada. La fundamentación y la justificación también las podemos encontrar en el lenguaje común, pero en tal caso aparecen como algo circunstancial y pasajero no imprescindible y permanente. Por el contrario, la fundamentación en el or-

---

9. Ya escribía Juan Luis VIVES en 1532 en su De ratione dicendi que: «Hay vocablos propios de cada oficio que otros artesanos ignoran, como los arquitectónicos en Vitrubio, los de las labores rústicas en Catón o en Varrón. Muchos de los que usan los filósofos son desconocidos del vulgo, y entre los filósofos, especialmente los estoicos que, según dijo CICERÓN, eran "arquitectos de palabras"». La cita la tomamos de la edición de El arte de la retórica (De ratione dicendi) de Editorial Antropos, Barcelona, 1998, página 17.
10. Vid. M. CRUZ, Filosofía contemporánea, Taurus, Santillana Ediciones Generales, Madrid, 2002, página 30.

denamiento jurídico, que se hace a través de los argumentos que acompañan, es consustancial al lenguaje jurídico, que así se reviste de la característica argumentativa. «¿Qué quiere decir esto? –se pregunta Tomás-Ramón FERNÁN-DEZ–. Pues algo muy simple: que los abogados no trabajamos con regla de cálculo, ni con fórmulas matemáticas, sino con argumentos»[11]. «De lo que no cabe duda es de que argumentar constituye la actividad central de los juristas –pocas profesiones consisten más genuinamente que la de los juristas en suministrar argumentos–, y de que el Derecho ofrece uno de los campos más importantes para la argumentación», añade Manuel ATIENZA[12].

En el lenguaje jurídico, pues, no basta con que lo que se afirme sea racional y sea respetuoso con el sentido común. La corrección del lenguaje jurídico reclama siempre que lo que se afirme, a la par que racional y acorde con el sentido común, sea fundamentado por medio de una argumentación basada en el ordenamiento jurídico entendido lo más extensamente posible[13] y también que sea conclusivo.

La argumentación como base del lenguaje jurídico confiere a éste otras características de segundo grado que lo alejan del común.

Como ha escrito TRAVERSI: «La argumentación... no se basa en premisas axiomáticas o, como quiera que sea, universalmente aceptadas, sino en enunciados discutibles, incluso aunque sean abundantemente compartidos»[14]. Además, como añade el mismo autor: «El razonamiento argumentativo, aun presentando una estructura sustancialmente análoga a la del razonamiento que se usa comúnmente, por ejemplo para expresar opiniones, hacer precisiones o resolver problemas, se diferencia de éste por su objetivo que, en este caso, es el de demostrar una tesis determinada de la manera más clara y convincente posible»[15].

La concurrencia de estas dos características en sus entrañas argumentativas favorece la tendencia del lenguaje jurídico a alejarse del común dentro

---

11.   T. R. FERNÁNDEZ, El derecho y el revés, junto con A. NIETO, Ariel, Barcelona, 1998, página 23.
12.   M. ATIENZA, Las razones del Derecho, Teorías de la argumentación jurídica, Centro de Estudios Constitucionales, Madrid, 1997, página 250.
13.   En este sentido escribe R. ALEXY, Teoría de la argumentación jurídica, Centro de Estudios Constitucionales, Madrid, 1989, página 213, con respecto a la pretensión de corrección del discurso jurídico, lo siguiente: «Esta pretensión, a diferencia de lo que ocurre con el discurso práctico general, no se refiere a que las proposiciones normativas en cuestión sean sin más racionales, sino sólo a que en el marco del ordenamiento jurídico vigente puedan ser racionalmente fundamentadas».
14.   A. TRAVERSI, La defensa penal. Técnicas argumentativas y oratorias, Thomson-Aranzadi, Pamplona, 2005, página 66.
15.   A. TRAVERSI, «La defensa...», op. cit., página 66.

de unos límites que pone de relieve ALEXY: «La argumentación dogmática es racional en la medida en que no se pierda la retroacción con la argumentación práctica general. Esta retroacción no se pierde si, en los casos dudosos, se fundamentan los enunciados dogmáticos que hay que usar en la argumentación dogmática. En tales fundamentaciones pueden usarse de nuevo enunciados dogmáticos, pero en último término son necesarios, como antes se indicó, argumentos prácticos de tipo general»[16].

3. EL LENGUAJE JURÍDICO ES UN LENGUAJE ESPECIALIZADO

Con esta afirmación queremos subrayar con trazo fuerte que el lenguaje jurídico propiamente dicho es, dadas sus características generales apuntadas hasta aquí, un medio de expresión limitado a los especialistas[17], es decir, a los que se han preparado de antemano para desenvolverse en su manejo; expresado de otro modo, que es algo exclusivo de aquellos que se han especializado en su conocimiento y uso, es decir, de los juristas. Éstos, además, por lo corriente cuanta más calidad atesoren más especialistas son en el lenguaje especializado que constituye el jurídico.

El especialista en nuestro caso, el jurista, toma posesión de su singularidad expresiva y tiende a acentuarla como manifestación de su situación profesional distinta e inalcanzable para los que no son de su cuerda profesional. Creen así ciertos juristas que la manera más eficaz de mantener y acrecentar su lenguaje especializado es diferenciarlo del de los demás, del común, a través de la oscuridad inentendible; «tal oscuridad –comenta Bonifacio DE LA CUADRA– se inscribe en una concepción asistemática y oscurantista del Derecho, de modo que las claves jurídicas y las decisiones judiciales quedan sólo en poder de los expertos teóricos, los expertos aplicadores y los expertos críticos, envueltos en una jerga inaccesible a los ciudadanos afectados»[18].

4. EL LENGUAJE JURÍDICO ES UN LENGUAJE ESPECIAL QUE SE INSERTA EN EL LENGUAJE COMÚN

He afirmado líneas atrás que el jurídico es un lenguaje especial. Así lo

---

16. R. ALEXY, «Teoría...», op. cit., página 261.
17. Como señala M. GÓMEZ BORRÁS, «La nueva retórica y el nuevo lenguaje jurídico», Revista Jurídica de Navarra, enero-junio, 2005, número 39, página 99, con respecto al lenguaje jurídico: «Es verdad que el lector debe ser un iniciado en la materia si quiere describir el significado profundo de muchos de sus términos, por cuanto éstos poseen un "segundo significado", otro distinto del que se usaría en la vida ordinaria, un significado especializado, adquirido al introducirse en el texto jurídico».
18. B. DE LA CUADRA FERNÁNDEZ, «Visión periodística del lenguaje judicial», Lenguaje judicial, Consejo General del Poder Judicial, serie interdisciplinaria, voces: documentación jurídica. Documentación judicial. Lenguaje jurídico, Lingüística, página 4.

hacen los conceptos y categorías propios de su condición científica, la existencia de ciertas estructuras gramaticales que le son características; por fin, ciertos modismos específicos y hasta un estilo singular contribuyen a tal especialidad[19].

Pero, por mucho que se quiera acentuar lo anterior, el jurídico no constituye un lenguaje en sí, con sustantividad autónoma, capaz de canalizar la expresión oral o escrita a través de su cauce exclusivamente[20]. «Todo lenguaje especial –afirma PRIETO DE PEDRO– depende estrechamente de la lengua, de cuya variedad es una manifestación y, por principio, sus elementos específicos tienen menos peso que los comunes. Esta regla también se cumple con el lenguaje legal en lo relativo a su léxico que, en su mayor parte, pertenece al léxico común de la lengua»[21].

El lenguaje jurídico, en efecto, se zambulle, se inserta con plenitud en el lenguaje común, no tiene vida si no es gracias a tal pertenencia. El maestro Antonio HERNÁNDEZ GIL puso de relieve en su trabajo sobre «El lenguaje en el Código Civil» la perfección y belleza del lenguaje jurídico inmerso con plenitud en el lenguaje común contenidas en preceptos del Código Civil. A la descripción que, con relación a las servidumbres legales, se encuentra en el artículo 590 del Código Civil[22] se refiere como «completa y matizada, es propia de un escritor realista y riguroso. Hay en el texto algo más que el virtuosismo de una relación jurídica bien meditada y medida; hay un excelente uso del lenguaje natural»[23].

19. En tal sentido y con notable agudeza afirma J. PRIETO DE PEDRO, «Lenguas...», página 144: «Se puede, pues, concluir en la existencia de un lenguaje legal presidido por las reglas de la economía, la seguridad y la funcionalidad comunicativas, y caracterizado por un léxico específico que tiende a la precisión, por ciertas preferencias en la formación de las palabras, por determinados rasgos morfosintácticos y características de estilo (predominio de los enunciados preceptivos, impersonalidad, cortesía, cierta fraseología...), e incluso por ciertas fórmulas estructurales en la manifestación de los textos (título, preámbulo, articulado, disposiciones adicionales, transitorias, finales...)».
20. Como señalara hace años A. HERNÁNDEZ GIL, «El lenguaje en el Código Civil», Saber jurídico y lenguaje, Obras completas, tomo 6, Espasa Calpe, página 373: «No puede decirse que existe un lenguaje jurídico por completo diferenciado del natural».
21. J. PRIETO DE PEDRO, «Lenguas...», página 164.
22. El artículo 590 del Código Civil dispone lo siguiente: «Nadie podrá construir cerca de una pared ajena o medianera pozos, cloacas, acueductos, hornos, fraguas, chimeneas, establos, depósitos de materias corrosivas, artefactos que se muevan por el vapor, o fábricas que por sí mismas o por sus productos sean peligrosas o nocivas, sin guardar las distancias prescritas por los reglamentos y usos del lugar, y sin ejecutar las obras de resguardo necesarias, con sujeción, en el modo, a las condiciones que los mismos reglamentos prescriban.
A falta de reglamento, se tomarán las precauciones que se juzguen necesarias, previo dictamen pericial, a fin de evitar todo daño a las heredades o edificios vecinos».
23. A. HERNÁNDEZ GIL, «El lenguaje...», op. cit., página 382.

Asistimos, por ende, a una inserción del lenguaje jurídico en el lenguaje común. Ahora bien, tal inserción no es estática, fijamente concluida; es, por el contrario, fluida. Por un lado, no puede ocultarse que «el lenguaje natural se ha nutrido en su morfología, en su semántica y en su sintaxis de componentes jurídicos»[24]. Por otro, la relación entre lenguaje común y lenguaje jurídico especial es dinámica y sometida a circunstancias de distinta naturaleza, incluso socio-políticas[25]. Por si fuera poco, dicha relación, aunque amparada por reglas generales, está sometida a los vientos cambiantes del casuismo, pues, escribe PRIETO DE PEDRO, «el redactor está obligado a lograr, en cada caso, una proporción áurea entre tecnicismo (que garantiza la precisión) y naturalidad (que garantiza la inteligibilidad general)»[26].

Sin embargo, el jurista tiende con alguna frecuencia a ignorar la inserción del lenguaje jurídico en el común «y tiende a enrarecer el léxico de las normas como si las normas comunes, en sus acepciones más conocidas, fueran impropias del lenguaje legal. Éste se refugia en la jerga, falsamente técnica, de voces de significado impreciso para los ciudadanos, en detrimento de otras voces de significado más terso y cercanas a su hablar espontáneo»[27]. Cunde, pues, entre algunos juristas un cierto miedo difuso al empleo del lenguaje común, a respetar su claridad y sencillez, con olvido de la regla de oro de la inserción de su lenguaje especial dentro del común.

A su vez, la tan aludida relación en doble sentido proyecta sobre el lenguaje jurídico muchos de los rasgos propios del lenguaje común actual. El trasvase de alguno de estos rasgos, del que me ocuparé con detalle más adelante, y el desafortunado afán de algunos de reforzamiento de las especialidades del lenguaje jurídico han dado lugar a «un nuevo campo de tensión» (PRIETO DE PEDRO)[28] del que el lenguaje jurídico de nuestros días suele salir muy perjudicado, como tendremos oportunidad de apreciar a lo largo del desarrollo del libro[29].

---

24. A. HERNÁNDEZ GIL, «El lenguaje...», op. cit., página 373.
25. Como escribió el magistrado Cesáreo RODRÍGUEZ AGUILERA, «El lenguaje...», op. cit., página 70: «El legislador, el abogado, el juez han de asumir la conciencia de la sociedad en que viven y para la que trabajan y han de hablarle en el lenguaje suyo propio de cada momento, con los obligados e indispensables tecnicismos en que se hayan sintetizado conceptos e instituciones, pero también con los términos usuales del más amplio y adecuado entendimiento, de manera buena, llana y paladina, como en nuestro lenguaje clásico se nos ha venido diciendo».
26. J. PRIETO DE PEDRO, «Lenguas...», op. cit., página 163.
27. J. PRIETO DE PEDRO, «Lenguas...», op. cit., página 166.
28. J. PRIETO DE PEDRO, «Lenguas...», op. cit., página 163.
29. Señala J. PRIETO DE PEDRO, «Lenguas...», op. cit., página 163, con respecto al lenguaje escrito legislativo lo siguiente predicable del lenguaje jurídico en general: «En el contexto actual el léxico está padeciendo una fuerte crisis, que origina un nuevo campo de tensión: entre el adelgazamiento del acervo del léxico común (el vocabula-

Uno de los grandes retos del lenguaje jurídico propio de los días que corren es el logro del engarce equilibrado entre lo común con lo especial, esto de manera acorde con los requerimientos que la sociedad contemporánea dirige al lenguaje jurídico.

5. EL LENGUAJE JURÍDICO TIENDE A SER UN LENGUAJE SOBRECARGADO Y APELMAZADO

Las categorías, conceptos, elementos que le otorgan el carácter de especial, las consecuencias de ser especializado, todo ello contribuye de manera decisiva a que el lenguaje jurídico tienda a ser sobrecargado y apelmazado por su conceptualismo, tendencia al exceso de argumentación y aislacionismo o complejo de isla[30], además de por las tendencias demiúrgicas y arcanas que le acompañan en ocasiones[31].

Pero, junto a los factores esenciales que abonan la sobrecarga del lenguaje jurídico, concurren otros de naturaleza menor o secundarios que acentúan tal característica.

La letra y la palabra jurídicas están repletas de «tics» o vicios de redacción escrita o de expresión verbal. Estamos ante empobrecimientos del lenguaje como fruto de «palabras recurrentes aquí y allá, frases calcadas, párrafos con el mismo patrón de fondo, etc., cuando estas ocurrencias adquieren relevancia suficiente para llegar a empobrecer la prosa, hablamos de tics o vicios de redacción»[32]. CASSANY menciona como ejemplos de estos vicios de

---

rio usual tiende a reducirse, con lo que un número menor de palabras ha de designar más cosas, haciéndose aquéllas por tanto más ambiguas), y el avance avasallador de las jergas técnicas, que pugnan atropelladamente por afirmar en el lenguaje la importancia de los saberes especializados y de lo tecnológico en la vida actual».

30. Esta característica sobrepasa los medios jurídicos. Lee en los días en los que redactaba esta parte del trabajo en la primera edición la siguiente afirmación referida a un personaje de la novela de M. VARGAS LLOSA, Travesuras de la niña mala, Alfaguara, Madrid, 2006, página 45: «Hablaba con suavidad, como un abogado en funciones, dando precisiones legalísticas y usando un vocabulario elaborado de alegato jurídico».

31. El apelmazamiento y la sobrecarga no es cosa de hoy, acompaña al Derecho en todas las fases de su evolución. Así, comenta el maestro Eduardo GARCÍA DE ENTERRÍA, La lengua de los derechos, la formación del Derecho público europeo tras la Revolución francesa, Civitas, Madrid, 2001, página 36, lo siguiente: «En 1789 la lengua jurídica y administrativa estaba muy lejos de ser imagen de pureza o de cortesía; más bien estaba completamente descalificada respecto de la lengua literaria o mundana, y se le reprochaba su pesadez, su torpeza, su oscuridad, su estilo enredado y penoso, en el que se habían enquistado arcaísmos no sólo jurídicos (los que la Revolución arrasó al abrogar todo el complejo mundo de los "privilegios" justamente), sino arcaísmos tanto léxicos como sintácticos».

32. D. CASSANY, La cocina de la escritura, Anagrama, decimotercera edición, Barcelona, 2006, página 133.

la expresión, cuya presencia, por otro lado, se multiplica en la esfera jurídica, los siguientes: repetir una palabra o expresión (¡el tremendo abuso de la adverbialización!), abusar de ciertas estructuras sintácticas (¡la horrible proliferación de gerundios en lo jurídico!), utilizar estructuras repetidas en párrafos y textos (algo que es plaga cada vez más extendida en lo jurídico) y usos poco corrientes o personales de puntuación (basta echar una mirada a textos jurídicos de distintos cuño para advertir con qué excesiva frecuencia impera la selva de la puntación irregular en la expresión jurídica)[33], a todo lo cual me referiré más adelante dentro de un marco más amplio.

6. EL LENGUAJE JURÍDICO ES UN LENGUAJE CON TENDENCIA ACTUAL AL IDIOTISMO EXPRESIVO

Nos dice el Diccionario de la Real Academia Española de la Lengua que idiotismo es en su segunda acepción «modo de hablar contra las reglas de la gramática, pero propio de una lengua». Al cobijo de tal definición, el sentido que pretendo dar al idiotismo en estas líneas responde a la inclinación que sufre de modo creciente el lenguaje jurídico, oral y escrito, a expresarse de una manera que va contra las reglas elementales de la gramática.

El idiotismo zascandilea irrefrenable en el lenguaje de los creadores de normas jurídicas escritas. Existe un aluvión de textos de juristas que denuncian la mala técnica legislativa y normativa en general que mancha hoy el lenguaje jurídico[34]. Dejemos estos textos por ahora de lado. El asunto ha saltado por encima de las páginas jurídicas. Santiago TAMARÓN, por ejemplo, alude con acierto y gracia a los «idiotismos por pedantería en la legislación»[35]; esto es cierto, por desgracia el idiotismo reina hoy bastante en el lenguaje jurídico-normativo escrito. No tanto en el oral. Pero tiempo al tiempo si no logramos entre todos los interesados en el buen lenguaje jurídico poner alto al deterioro galopante.

7. EL LENGUAJE JURÍDICO ES UN LENGUAJE CONSERVADOR CON TENDENCIA AL INMOVILISMO

Son varias las causas del carácter conservador con tendencia al inmovilismo propio del lenguaje jurídico por mucho que la acusada movilidad que impregna a la sociedad contemporánea lo zarandee.

---

33. D. CASSANY, «La cocina...», op. cit., página 132.
34. Nos hemos referido a este problema, entre otros escritos, en Codificación contemporánea y técnica legislativa, Aranzadi, Pamplona, 2001.
35. MARQUÉS DE TAMARÓN, El guirigay nacional, Altera, segunda edición, Barcelona, 2006, página 23.

Las entrañas del lenguaje jurídico reposan en una tradición multisecular, cuya sustancia se nutre del esfuerzo de generaciones y generaciones de juristas. Uno de los frutos más destilados de tan prolongada tradición es el lenguaje por cuyo través se describe y se aplica todo el armazón del ordenamiento jurídico y las sucesivas variaciones que va sufriendo en el transcurso de los tiempos.

De esta manera el lenguaje jurídico resulta tan acuñado, tan ahormado que las dificultades para innovarlo son mayores incluso que aquellas que hay que afrontar para modificar las propias instituciones jurídicas.

Y no olvidemos el factor humano. El inmovilismo del lenguaje jurídico es algo con carácter general muy relacionado con los actores de este lenguaje, los juristas. Los protege con cierto humo demiúrgico y ocultador frente a terceros, que no pueden penetrar así en los vericuetos por los que aquéllos deambulan bien. Por si esto fuera poco, el inmovilismo y antievolucionismo del lenguaje jurídico favorecen que el jurista sea considerado como persona singular, titular de un lenguaje especial.

8. EL LENGUAJE JURÍDICO ES UN LENGUAJE CON TENDENCIA AL AISLAMIENTO Y AL COMPLEJO DE ISLA

La tendencia al aislacionismo y al complejo de isla que acompaña al lenguaje jurídico es fruto del arrastre de buena parte de las características comentadas hasta aquí. Es, pues, una característica que se induce de algunas de las expuestas con anterioridad.

Es momento para destacar, empero, un nuevo rasgo del lenguaje jurídico ligado con lo que hemos llamado tendencia al aislamiento. El lenguaje jurídico tiene veladuras de intensidad muy superior a las del común. El lenguaje jurídico, por ende, no es en sí transparente, revelado en todas sus dimensiones con facilidad transmisiva. No es, por tanto, de fácil comunicabilidad o cualidad de ser trasladado a terceros con sencillez y claridad.

La tendencia al aislamiento del lenguaje jurídico encuentra su caldo de cultivo en su carácter especial y su confirmación en el entendimiento de esta característica exagerado y en contra de los tiempos que corren. La tendencia al complejo de isla, además de con la especialidad, tiene mucho que ver con el lenguaje de especialistas que es el jurídico. El especialista normalmente tiende a acentuar los rasgos propios de su expresión para intensificar su condición de titular de algo –la ciencia jurídica y su lenguaje– sólo conocido y utilizable por el grupo profesional al que pertenece.

El aislamiento y el complejo de isla al que nos referimos se sienten atacados por la transparencia y claridad. El vínculo entre el jurista y su modo de expresión y la sociedad a través de la transparencia comunicativa es visto «como un riesgo cierto para una concepción elitista de nuestra función –entiende el exFiscal General del Estado Cándido CONDE-PUMPIDO con referencia específica a jueces y fiscales–, que, paradójicamente, no es ajena ni al iluminismo ni al autoritarismo que, con desigual incidencia, marcaron respectiva y sucesivamente nuestro proceso codificador y la realidad aplicativa de nuestras leyes»[36].

9. EL LENGUAJE JURÍDICO ES PLURIFORME

El lenguaje jurídico es pluriforme no sólo en lo tocante a su forma de expresión, oral o escrita, sino en cuanto a los instrumentos en los que puede plasmarse.

En la vertiente escrita el lenguaje jurídico puede desplegarse desde los textos normativos, legislativos o no, hasta los judiciales en todas sus plúrimas variantes para acabar en la nota o informe breve y circunstancial.

En la vertiente oral el lenguaje jurídico muestra tan cambiantes caras como el escrito. Desde el alegato forense de amplia gama, hasta la conferencia más exquisita, para concluir en la evacuación de la ilimitada estela de consultas verbales que un jurista puede tener que afrontar, ¡he aquí una constelación de manifestaciones del pluriforme lenguaje jurídico en su lado oral!

Esta característica nos conduce a una afirmación capital: nuestras consideraciones se formulan con la pretensión de que sean predicables de todas las manifestaciones del lenguaje jurídico, pero son éstas tan variadas que, al acercarnos a ciertos instrumentos concretos en los que se despliega la expresión jurídica, será necesario matizar lo redactado con carácter general[37].

C. CARACTERÍSTICAS SINGULARES DEL LENGUAJE JURÍDICO ESCRITO

El lenguaje jurídico escrito no tiene en principio ninguna característica

---

36. C. CONDE-PUMPIDO TURÓN, discurso pronunciado en la clausura del curso El Ministerio fiscal y los medios de comunicación, Pazo de Mariñán, 22 de septiembre de 2006.

37. En este sentido se pregunta y se contesta J. R. CAPELLA, «El Derecho...», 1968, página 40, lo siguiente: «La cuestión es: ¿ha de ser objeto de estudio nuestro el lenguaje de un cuerpo de normas jurídicas concreto o bien nuestro lenguaje legal es un abstracto de los lenguajes de los distintos ordenamientos?

Esto sólo puede zanjarse mediante la misma opción que determina el tema del trabajo: si queremos atender a las características del Derecho positivo como lenguaje, y no a las de un ordenamiento en particular, su objeto ha de ser forzosamente lo segundo».

singular, a mi juicio. El lenguaje jurídico escrito comulga por entero de las características generales esbozadas con anterioridad, aunque sí representa una cierta singularidad que alguna de las características generales se plasmen en esta manifestación del lenguaje jurídico de una manera especial que reclama comentario.

En el jurídico escrito se acentúa su condición de lenguaje especial y especializado.

En el lenguaje jurídico escrito como regla general cobra mayor presencia que en el oral el rigor de los conceptos y las categorías jurídicas propios de su especialidad, el andamiaje argumentativo es más denso, la base normativa, jurisprudencial y doctrinal en la que se apoya el razonamiento adquiere mayor intensidad y el orden lógico, formal y sustancial que reclama el discurso argumentativo es más exigente.

En el lenguaje jurídico escrito, por otro lado, tiende a intensificarse su carácter especializado. El jurista, a la hora de coger la pluma para expresarse jurídicamente, se siente en el deber de poner de manifiesto que está en posesión de las herramientas de un lenguaje propio de un especialista, lenguaje que como tal es por lo común inaccesible para terceros que no reúnan la misma cualificación[38]. Aquí el qué dirán, referido a los propios copartícipes de la forma de expresión escrita que nos interesa, también desempeña un papel acentuador de la especialidad. En el lenguaje jurídico oral todo es más ligero, más volátil por naturaleza; en el escrito todo es más consistente y duradero. Adquiere así todo su jugo este proverbio sefardita: «Palabra sin letra es como sombra sin huella»[39]. La letra jurídica es menos volandera y deja más huella que la palabra jurídica y por ello extrema alguno de sus elementos caracterizadores.

Lo anterior, sin embargo, admite matización a la luz de las técnicas que

---

38. Como manifiestan J. L. LÓPEZ DE SANCHO SÁNCHEZ y E. NIETO MORENO DE DIEZMAS, «El lenguaje forense. Análisis pragmático del acto comunicativo judicial», en Lenguaje forense, Estudios de Derecho Judicial, Consejo General del Poder Judicial, Consejo General de la Abogacía Española, número 32, Madrid, 2000, página 98: «El lenguaje escrito es un lenguaje mucho más conservador que el oral, y es donde encontraremos un mayor número de fórmulas estereotipadas y arcaísmos que dificultan la comprensión global del texto».

39. Como se lee en el poema de L. GARCÍA MONTERO, El amor, Visor Libros, Madrid, 2006, página 71:
«Las palabras son barcos
y se pierden así, de boca en boca,
como de niebla en niebla.
Llevan su mercancía por las conversaciones
sin encontrar un puerto,
la noche que les pese igual que un ancla».

se implantan día a día en los tiempos que corren. Como escribe el maestro OLIVENCIA: «Pero ya no es válido el principio "scripta manent, verba volant". Las palabras, las voces como las imágenes, no sólo se transmiten a distancia, sino que utilizan otros signos y otros soportes»[40].

Una vez más tengo que afirmar que la intensidad con la que saltan a la luz las singularidades apuntadas en el párrafo anterior es diferente según sea el documento en el que se refleje el lenguaje jurídico. Los alegatos escritos en sede judicial deberían estar más impregnados de jugosidad y de liviandad que el lenguaje jurídico escrito propio de las elaboraciones científico-doctrinales. A su vez, la expresión escrita de las resoluciones judiciales debería ser más proclive al lenguaje común que la de las leyes y la de los textos normativos en general[41].

El recrudecimiento del carácter especial y especializado de la modalidad escrita del lenguaje jurídico desemboca en que éste en la práctica se distancie más del común, que sea menos claro e inaccesible para terceros no duchos en este tipo de lenguaje.

D. CARACTERÍSTICAS SINGULARES DEL LENGUAJE JURÍDICO ORAL

Volvemos al método de situarnos dentro de las características generales del lenguaje jurídico y subrayar algunas singularidades que aparecen de manera más acusada ahora dentro de su variante oral.

El lenguaje jurídico oral u oratoria jurídica es la forma de expresión de lo jurídico por medio de la palabra. La oratoria jurídica y su vertiente más caracterizada la forense[42], al igual que la oratoria en general, ha ido perdiendo importancia en las últimas décadas, particularmente si la comparamos con la que alcanzó en otros momentos históricos[43].

---

40. M. OLIVENCIA RUIZ, Letras y Letrados, discurso leído por su autor el 15 de mayo de 1983 en el acto de su ingreso como Académico de número de la Real Academia Sevillana de Buenas Letras, Sevilla, 1983, página 169.

41. En este sentido, como afirma M. GÓMEZ BORRÁS, «La nueva retórica...», op. cit., página 100: «Frente a la austeridad de las leyes, el lenguaje de las resoluciones judiciales puede presentar una fuerza expresiva que contrasta con la de otros lenguajes jurídicos. Esto es así porque de los dos elementos que lo configuran, el juicio lógico y la manifestación de voluntad, el segundo suele predominar estilísticamente sobre el primero».

42. Sobre la oratoria forense en general puede consultarse a R. BELLO BAÑÓN, «El lenguaje forense hablado», en Lenguaje forense, Estudios de Derecho Judicial, número 32, Consejo General del Poder Judicial, Madrid, 2000, páginas 135 y siguientes.

43. Como recuerda C. FERRERA CUESTA, «Teatro y oratoria política en el siglo XIX. La escenificación parlamentaria en la Restauración», Ayer, 59/2005, página 2002: «A lo largo del siglo XIX la oratoria adquirió un lugar preeminente en los diversos ámbitos de la vida pública. Junto a la tradicional oratoria sagrada, su papel se acrecentó en

El profesor OLIVENCIA pone el dedo en la llaga de lo que fue en el pasado, es en el presente y debería ser en el futuro la oratoria jurídica. Lo hace con gran belleza: «La preceptiva del lenguaje jurídico oral está en desuso. No es sólo que la oratoria haya desaparecido de nuestros planes de estudios, ni que sus normas hayan perdido vigencia, aunque en este caso el desuso, la costumbre y la práctica en contrario prevalezcan contra su observancia; es que la materia regulada, el lenguaje oral, ha caído en una lamentable degradación.

Quizás la inexorable ley del péndulo haya desplazado los excesos oratorios, recargados de pompas hasta la exageración, hasta el opuesto extremo de la más vulgar y ramplona trivialidad en el hablar jurídico. La elocuencia del siglo XIX y de principios del XX resulta empalagosa al gusto de nuestro siglo. Son modos y modas que tienen su tiempo y pasan. Pero, en nuestro caso, no es que el estilo barroco haya sido sustituido por otra modalidad estilística, sino que el lenguaje jurídico ha caído desde la altura hiperbólica de la elocuencia a un nivel rastrero»[44].

El punto medio por el que pasó hace no muchas décadas el lenguaje jurídico oral –y aquí acude, puntual e inexorable, a las mientes de quien escribe el verbo y la letra de Fernando SÁINZ DE BUJANDA, destacadísimo eslabón de una generación de maestros cuyo aliento por fortuna aún sigue vivo y alimenta– ha de volver, pues constituye la regla de oro de la oratoria jurídica actual. Las siguientes afirmaciones del también maestro OLIVENCIA dan preciso contenido a esta regla de oro: «Sin duda, el péndulo ha pasado por un punto medio, el que marca la superación de la vieja retórica forense por una oratoria sencilla y elegante, tersa y pulcra en la construcción del discurso, cuidada en la terminología, medida en el énfasis y en el tiempo»[45].

El empobrecimiento de la oratoria jurídica en general, de la que la forense constituye una hijuela descollante, responde al fenómeno más amplio del retroceso cultural en general y del expresivo más en particular.

---

la oratoria forense, gracias a una serie de reformas que intensificaron el protagonismo de los abogados, al garantizar el carácter oral y público de los juicios, y cuya culminación se alcanzó en España tras la aprobación de la Ley de Enjuiciamiento Criminal de 1882».

44. OLIVENCIA RUIZ, M., Sobre una preceptiva del lenguaje jurídico, conferencia inaugural del curso académico 1998-1999, Sevilla, 1999, página 14.
Este mismo autor, «Claridad y precisión en el lenguaje de Joaquín Garrigues», en Estudios jurídicos, volumen I, Fundación El Monte, Sevilla, 2005, página 494, al referirse al maestro GARRIGUES nos da la pauta de oro que debe empapar la oratoria jurídica actual: «Como orador, pertenecía a la generación de juristas que había superado la "retórica forense",... para sustituirla por una oratoria tersa, pulcra, pulida, descargada de adornos, escueta, pero elegante y bella en su pureza».

45. M. OLIVENCIA RUIZ, «Sobre una preceptiva...», op. cit., página 14.

Como derivación de este fenómeno por desgracia irrefrenable hoy por hoy, los instrumentos que brinda la retórica, como conjunto de técnicas de variado cuño que mejoran y engrandecen la capacidad oratoria, se olvidan, se desconocen y, en el peor de los casos, se desprecian. Lo retórico ha ganado así un sentido inverso al clásico y propio; ahora es trasunto de enrevesamiento, de falta de claridad y de humo desfigurador, ¡si levantaran la cabeza los clásicos![46].

El empobrecimiento de la oratoria jurídica actual trae consigo importantes consecuencias para su relación con el lenguaje común. El reduccionismo de la palabra jurídica conduce al retraimiento de su condición especial tan necesitada de riqueza conceptual y amplitud de matices, algo tan sacrificado en la pira del empobrecimiento y vulgarización del hablar.

Así pues, fruto del fenómeno de empobrecimiento verbal que sólo hemos apuntado, asistimos en los días que corren a un acercamiento del lenguaje jurídico oral al común por la vía del reduccionismo empobrecedor, materia sobre la que volveré más adelante.

Un comentario al que no me resisto. Además de incorrecto, es desacertado la desatención y descuido, por no decir desprecio, que progresa hoy entre algunos juristas hacia la retórica y sus instrumentos perfeccionadores de la oratoria jurídica. Crasa equivocación: lo que procede es acomodar los instrumentos retóricos a las exigencias presentes del lenguaje jurídico de la palabra en los términos que expondré en su momento.

Por otro lado, es conveniente resaltar desde este mismo momento una exigencia capital de la oratoria jurídica actual: la acomodación a la naturaleza de la intervención oral y a los destinatarios de ella. Las diferencias son notables según diferenciemos las características del lenguaje jurídico oral de conformidad con los siguientes criterios de agrupación a los que acuden RUIZ DEL ÁRBOL FERNÁNDEZ y ALBAR DE CARLOS[47]: abogados que se dirigen en salas pequeñas a pocas personas; abogados que se dirigen en salas grandes a muchas personas, y abogados que se dirigen a muchas personas en las grandes salas o espacios abiertos. A estas agrupaciones habría que añadir la de los

---

46. Sobre la aparición y desarrollo de la retórica en la antigüedad puede consultarse, entre otros, a J. L. DE LOS MOZOS, «Retórica y Derecho en la antigua Roma», Revista de Derecho Privado, julio-agosto, 1987, páginas 635 y siguientes. Sobre la retórica desde un punto de vista más actual puede consultarse, entre otros, a J. A. HERNÁNDEZ GUERRERO y M.ª del C. GARCÍA TEJERA, El arte de hablar. Manual de retórica práctica y de oratoria moderna, Ariel, 3.ª edición, Barcelona, 2008; particularmente los capítulos 3, 4 y 5.
47. M. RUIZ DEL ÁRBOL FERNÁNDEZ y M. I. ALBAR DE CARLOS, Educación de la voz para juristas, Bosch, Barcelona, 1997, páginas 136 y siguientes.

abogados que se dirigen a muchas personas en salas o espacios pequeños. Esta agrupación, de la que dependerán en buena medida los rasgos que haya que imprimir a la intervención jurídica oral de que se trate, es extensiva, más allá de los abogados en sentido estricto, a todo jurista.

No podemos omitir, para acabar ya, la perniciosa tendencia de mezclar el lenguaje jurídico escrito con el oral. Dicho de otro modo: la lacra de sustituir intervenciones orales, sobre todo judiciales, por lectura de escritos: «Don Joaquín distinguía –nos recuerda el profesor OLIVENCIA con relación al maestro GARRIGUES–, y obligaba a distinguir, entre la pieza escrita y la oral, que se expresa en el arte de hablar y no en el de leer»[48]. Es ésta una funesta manía, enraizada cada vez más en uno de los terrenos en los que menos tenía que hacerlo, el jurídico, que amenaza con arrasar la fuerza persuasiva, la inmediatividad, el valor de la presencia personal y de la impronta sicológica tan propio todo esto del lenguaje jurídico oral, tan necesario en toda su virtualidad para complementar la aportación del escrito.

---

48. M. OLIVENCIA RUIZ, «Claridad y precisión...», op. cit., página 496.

III

CIERTAS CARACTERÍSTICAS DE LA SOCIEDAD CONTEMPORÁNEA CON TRASCENDENCIA PARA EL LENGUAJE JURÍDICO

A. PLANTEAMIENTO

1. LA DESACRALIZACIÓN Y LA FRAGMENTACIÓN

Es un lugar común que la marcha imparable de la razón crítica desde que arrancó con fuerza en el llamado siglo de las luces ha hecho derrumbarse o resquebrajarse seriamente muchos de los cimientos religiosos, científicos, políticos y culturales considerados, en un momento histórico, intocables. Este fenómeno ha cobrado nueva fuerza con las corrientes postmodernas y deconstructivas en cuyo seno, afirma el profesor PÉREZ LUÑO, «las normas jurídicas generales y abstractas, corolario de exigencias éticas universales, fueron cuestionadas en nombre de las preferencias particularistas fragmentarias»[1]; paralelo al relegamiento de las normas generales y abstractas va el de los conceptos y categorías jurídicas sobre las que se sustentan y el del lenguaje que los expresa.

Así pues, la crítica racional y racionalista y los aires postmodernos, que todo lo horadan, han sido termitas imparables y han llegado, como no podía ser menos, al oficio y al lenguaje del jurista y al Derecho en general.

Recordemos, por otra parte, que lo demiúrgico, propio de una casta aislada y distante, que tiene derecho a ser tal por justificación y fundamento propio e indiscutible es algo inconcebible en la sociedad contemporánea.

Por este camino, rotas las barreras de lo demiúrgico en el Derecho,

---

1. E. PÉREZ LUÑO, Introducción al tema 4, Juristas del siglo XX, de Juristas universales, Rafael DOMINGO (editor), Marcial Pons, Madrid-Barcelona, 2001, página 25.

agujereadas las normas generales, sus correspondientes conceptos y el lenguaje propio de ellos, mengua mucho el respeto a lo especial y especializado, entre otros atributos, del lenguaje jurídico y se facilita la dilución de estas características, proceso que culmina, al unirse lo apuntado ahora con otros factores, en la más fácil penetración del lenguaje común en las entrañas del jurídico.

2. EL IGUALITARISMO Y EL REDUCCIONISMO DE LO SELECTO Y ESPECIAL

La llegada de la masa manipulable como gran protagonista, pasivo en la mayoría de las ocasiones, de la sociedad contemporánea ha favorecido la despersonalización del ser humano, su creciente infantilismo intelectual y, en palabras muy escuetas, la debilidad del yo personal diluido en la masa informe o en el seno de la organización colectiva de cualquier signo.

El igualitarismo reduccionista en el que se desemboca fomenta, en la parcela que nos ocupa, la inclinación a relegar, a veces mediante el simple rechazo, otras mediante su desfiguración, todo lenguaje selecto y especial en aras al reinado del lenguaje común, hasta vulgar, que reclama todo igualitarismo reduccionista llevado hasta sus últimas consecuencias.

3. EL DOMINIO DE LA IMAGEN FRENTE A LA PALABRA

Otra afirmación muy aceptada: la imagen arrumba la palabra en la sociedad contemporánea.

Hasta hace poco el avance arrollador del tiempo dedicado a ver televisión por los niños y jóvenes en perjuicio de la lectura y de la comunicación escrita era el ejemplo que respaldaba la afirmación antedicha.

La situación ha cambiado con rapidez en estos últimos años, aunque siempre dentro del campo de la imagen dominadora frente a la palabra.

Los niños y jóvenes de estos días empiezan a reducir el tiempo que dedican a contemplar la televisión en beneficio de los videojuegos, del ordenador y del teléfono móvil[2]. Estos entretenimientos, aunque más activos y

---

2. Es interesante en este sentido la información que se ofrece en el artículo «La tele pierde, consola y móviles ganan», publicado en El País, domingo, 13 de agosto de 2006, página 30. Con respecto, en concreto, a los videojuegos es destacable la siguiente información, Cinco Días, martes, 7 de noviembre de 2006, página 16: «Los padres y adultos que compran juguetes para los niños prefieren aquellos que tienen un componente educativo frente a otros como los videojuegos no educativos o muñecos. Es la primera vez que los juguetes educativos desplazan a los videojuegos en intención de compra cuando se acerca la Navidad. Así, por lo menos, se desprende de una encuesta realizada por la filial española de Toys R'Us el pasado mes de octubre entre 1.400 adultos».

personales que la mera contemplación televisiva, tampoco escapan del predominio de la imagen con presencia de la palabra muy menor y con tono reduccionista y desfigurador.

4. EL EMPOBRECIMIENTO EXPRESIVO

La confluencia de los factores esbozados en las líneas que han precedido así como de otros que no mencionamos por escaparse en exceso del corazón de nuestro trabajo han desencadenado un empobrecimiento expresivo, tanto oral como escrito, a menudo escandalizador. Como ha señalado con cierta exageración muy ilustrativa Santiago TAMARÓN: «España ha pasado en cincuenta años de ser un país de catetos a ser un país de cursis.

Esto no es en sí ni bueno ni malo; es un hecho sociológico. Su corolario lingüístico es por el contrario fácil de valorar: un desastre. El cambio salta a la vista, o mejor dicho al oído. El cateto –ya fuese campesino, ya pequeño artesano de pueblo o ciudad– tenía un vocabulario muy rico, porque lo necesitaba en la vida diaria, mientras que su nieto el cursi no precisa más de un millar de palabras y por consiguiente ése es todo el horizonte de su léxico. En su trabajo de oficina o de fábrica no necesita más de una decena de vocablos especializados, y un número parecido para el automóvil, el fútbol o la caja tonta»[3].

Este fenómeno general tiene consecuencias inmediatas en el lenguaje jurídico que iremos desgranando a lo largo de las líneas que nos esperan, porque –escribe la catedrática Ana CAÑIZARES– «el problema fundamental reside en el lenguaje: los niveles de lenguaje se encuentran en franca decadencia. Si no se conoce el lenguaje en toda su amplitud –no tratándose de mínimos–, es imposible entender el lenguaje jurídico, previo a las instituciones que deberán ser aplicados al caso concreto»[4].

5. LA DILUCIÓN DE LAS ESPECIALIDADES EXPRESIVAS

El empobrecimiento expresivo se reviste de distintas manifestaciones, cuyo análisis pormenorizado no incumbe a estas líneas.

---

3. MARQUÉS DE TAMARÓN, «El guirigay...», op. cit., página 49. No es ésta la opinión que se manifiesta en el libro Saber escribir, coordinador J. SÁNCHEZ LOBATO, Instituto Cervantes, Aguilar, Madrid, 2ª edición, 2006, página 29, ante la pregunta ¿cabe preguntarse si la lengua es hoy más «pobre» que en épocas pasadas?, la respuesta es la siguiente: «Es verdad que machaconamente se viene repitiendo dicha pregunta entre quienes se erigen en guardianes de una pureza que la lengua nunca ha tenido ni, por supuesto, necesitado. Cabe, sin duda, la pregunta y cabe la respuesta: no es verdad. La lengua española no es más "pobre" en la actualidad que la de otras épocas. Es otra, como es otra la sociedad; ni mejor ni peor, es diferente».
4. A. CAÑIZARES LASO, «El catedrático», en «El oficio de jurista», siglo XXI, 2006, página 172.

De todas ellas, sin embargo, no nos resistimos a invocar una por su conexión con el estado actual del lenguaje jurídico. Se trata de lo que hemos llamado dilución de las especialidades expresivas.

La imparable reducción del vocabulario a la que arrastra el empobrecimiento expresivo trae consigo, entre otras consecuencias, que la capacidad de nombrar personas, cosas, actos o hechos por la denominación que convenga a sus esencias y circunstancias quede muy mermada. Las especialidades expresivas, que requieren riqueza de vocabulario, se diluyen en el magma de los lugares comunes, modismos y frases hechas que aspiran a decir todo y que a la postre nada dicen. La imprecisión gana de esta forma terreno creciente, los matices se convierten en algo extraño al lenguaje, en algo inexistente por carencia de la palabra que le insufle vida.

6. LA INTERCOMUNICACIÓN DEL LENGUAJE COMÚN CON EL LENGUAJE JURÍDICO

El lenguaje jurídico debe ser vivo, bullicioso, buscar con codicia ampliar sus límites, sus términos y captar así, de la manera mejor y más intensa posible, la realidad social que tiene que ahormar. Su propio dinamismo le lleva a absorber palabras y estructuras léxicas del lenguaje inicialmente no jurídico, ya sea oral o escrito.

Siempre ha sido así y es bueno que lo siga siendo. Como señaló el maestro Aurelio MENÉNDEZ, en la contestación al discurso de Manuel OLIVENCIA leído el 7 de noviembre de 2005 en el acto de la recepción de éste en la Real Academia de Jurisprudencia y Legislación como Académico de Número: «El ilustre profesor entra en ese tema terminológico, mostrando el interés del trasvase que se produce en ocasiones del lenguaje científico ("voces técnicas") a la lengua común o culta, y en otras, del lenguaje común al lenguaje científico. Esas palabras que, cualquiera que sea su procedencia, valen, en nuestro caso, para que el legislador formule las normas y para que el intérprete se sirva de ese instrumento para averiguar su sentido»[5].

Este trasvase o intercomunicación del lenguaje común con el jurídico ha existido siempre, mayor o menor según la pauta metodológica prevaleciente, y debe existir, si cabe más acentuado en nuestros tiempos por las características predicables del lenguaje jurídico actual que detallaremos más adelante.

---

5. A. MENÉNDEZ MENÉNDEZ, Contestación al discurso de ingreso en la Real Academia de Jurisprudencia y Legislación de Manuel OLIVENCIA RUIZ, Real Academia de Jurisprudencia y Legislación, 2005, páginas 199 y 200.

Ahora bien, el trasvase o intercomunicación aludido debe respetar como pauta de oro la incorporación selectiva: debe trasvasarse lo que convenga o necesite el lenguaje jurídico con exclusión de las deficiencias del lenguaje común cuya incorporación perjudique en cualquier faceta al jurídico.

Hasta no hace mucho la regla de la incorporación selectiva se ha respetado más o menos. En nuestros días por desgracia hace aguas por muchos sitios.

Es cierto que los males que padece el lenguaje en el presente no limitan sus efectos a su versión común. Muchos de estos males nacen en el lenguaje común, entre ellos el del empobrecimiento expresivo; allí se desarrollan y amenazan a todos y a todo con el idiotismo intelectual al que empujan sin remedio. Pero como el lenguaje común constituye el sustrato, la base sobre la que cobra vida el lenguaje especial mediante la ramificación léxica que proceda, a éste acaba llegando antes o después la amenaza de dichos males. Como afirma José Antonio MILLÁN[6]: «Estamos en un país lingüísticamente democratizado a la baja... todos hablamos igual, desde la duquesa de Alba, al cardiólogo, al fontanero pasando por el político» o por el jurista, añado.

Esto supone que, por la vía de la consustancial intercomunicación del lenguaje común con el especial, un lenguaje tan necesitado de precisión y matiz como es el jurídico tiende a caer preso, entre otros males, del cáncer del empobrecimiento expresivo, al no ser respetada a carta cabal la regla de incorporación selectiva.

7. LA TRANSPARENCIA Y LA PUBLICIDAD

a.–Pocas palabras sufren tanto desgaste por su uso reiterado como el sustantivo transparencia. La encontramos por todas partes y tanto en el lenguaje común como en el lenguaje especial. Hasta tal extremo se abusa de ella que sus aristas se hacen romas y, al final, muchas veces no sabe uno a qué significante quedarse.

Es, no obstante, indudable que el reinado de la transparencia en la sociedad contemporánea resulta incompatible con la existencia de espacios ocultos y sombras cegadoras[7]. Por el contrario, reclama la existencia de la luz

---

6. J. A. MILLÁN, declaraciones recogidas en el artículo «Hablando (mal) se entiende la gente», firmado por Lola GALÁN y aparecido en el suplemento de Cultura de El País, domingo, 12 de noviembre de 2006, página 10.
7. Como señala J. L. PIÑAR MAÑAS, «Revolución tecnológica, Derecho Administrativo y Administración pública. Notas provisionales para una reflexión», en La autorización administrativa. La Administración electrónica. La enseñanza del Derecho Administrativo hoy, Asociación Española de Profesores de Derecho Administrativo, Thomson-Aranzadi, Pamplona, 2007, página 66: «La transparencia es pieza clave de la sociedad democrática. Se trata de una de las más insistentemente reivindicadas exigencias de la democracia».

que permita observar con pormenor todo sobre lo que ésta se proyecte; la claridad, en suma, es viga maestra de la tan cacareada transparencia.

La claridad y la luz que reclama la transparencia imponen que los espacios en los que esta última se proyecte no sean opacos; transparencia es lo opuesto a opacidad. Mas que no haya opacidad que impida o dificulte la prevalencia de la luz puede derivarse de que no existan barreras que protejan los espacios donde deba penetrar la luz o de que las barreras que existan no impidan el paso de la luz, que no sean, por tanto, opacas. Este segundo sentido es el que más se ajusta al sentido de la transparencia. Transparencia no equivale a inexistencia de barreras que aíslen y protejan determinados espacios; equivale más bien a que las barreras que por lo corriente se erijan no sean opacas y permitan así la penetración de la luz.

b.–Ahora bien, la transparencia que impregna con huella honda la sociedad contemporánea no constituye un fin en sí mismo; es por naturaleza funcional, al servicio de un propósito que va más allá de ella.

La transparencia se sitúa al servicio de otra de las características que imprimen carácter a la sociedad en la que vivimos. Nos referimos a la publicidad.

Se aspira a que los muy variados ámbitos en los que se despliega la sociedad contemporánea sean transparentes, admitan la luz y reine en ellos la claridad para que todo lo que se halle dentro de tales espacios pueda ser objeto de conocimiento o bien general, o bien de ciertos ámbitos o, al menos, restringido, esto último sólo cuando circunstancias excepcionales lo aconsejen.

La publicidad es, por ende, el fin al que responde la transparencia. Ésta no se entiende sin aquélla y ambas, en su avance, dejan pocos espacios al margen de una y otra. Recuérdese como ejemplo la progresiva eliminación de espacios exentos de la transparencia y publicidad en el campo político y en el económico-empresarial.

c.–El lenguaje no es ajeno al fortalecimiento de las características en las que ahora nos centramos dentro de la sociedad actual.

La transparencia y la publicidad presionan para que el lenguaje común sea más claro y entendible. Como indica el periodista Bonifacio DE LA CUADRA con respecto al lenguaje judicial y extensible a todo el jurídico: «El respeto al justiciable y al principio de publicidad de las actuaciones judiciales que

---

Sobre este punto puede consultarse desde un punto de vista extrajurídico a J. FERNÁNDEZ DEL MORAL, «La transparencia como retórica», Cuenta y razón, segunda época, número 28, junio-julio 2013, páginas 7 y siguientes.

consagra como criterio general el artículo 120 de la Constitución, exige claridad en el lenguaje judicial, tanto escrito como verbal»[8]. Atención: esto no quiere decir que sea más vulgar y más pobre; al contrario, el lenguaje claro y transmisor de lo que acontece en la realidad requiere precisión y matiz.

El lenguaje especial tampoco queda inmune ante los efectos de las dos características a las que aludo sin parar. La transparencia y la publicidad presionan para que los campos en los que se desarrolla el lenguaje especial no queden reservados, apartados y ocultos. Ello trae consigo, a su vez, que el lenguaje especial tenga que buscar un punto de encuentro con el común o, incluso, adaptarse a éste cuando terceros ajenos al lenguaje especial sean los destinatarios de la publicidad de lo jurídico.

Por fin, dadas las características de la sociedad de nuestros días, la transparencia produce efectos benéficos para el desarrollo de la función jurídica. En esta dirección se sitúan las siguientes manifestaciones del ex Fiscal General del Estado, Cándido CONDE-PUMPIDO, referidas específicamente al ministerio fiscal, pero, con las inevitables adaptaciones, generalizable a lo jurídico en general: «El día en que seamos capaces de llegar al ciudadano explicándole, en términos comprensibles, los fundamentos jurídicos de cualquiera de nuestras actuaciones, habremos terminado con cualquier riesgo, aparente o cierto, de vulneración de nuestra imparcialidad... Ésa es la más trascendental aportación a nuestro sistema jurídico que podemos hacer al cumplir con nuestro deber de comunicarnos con la sociedad en la dirección que la Constitución y la ley nos marcan. Se trata de hacernos absolutamente creíbles, siendo absolutamente transparentes. Por supuesto, en la medida en que la propia ley no haga obstáculo, por razones justificadas, a la difusión de determinadas informaciones»[9].

---

8. B. DE LA CUADRA FERNÁNDEZ, «Visión periodística del lenguaje judicial», Consejo General del Poder Judicial, Lenguaje judicial, serie interdisciplinaria, voces: Documentación jurídica, Documentación judicial. Lenguaje jurídico. Lingüística, página 6.
9. C. CONDE-PUMPIDO TURÓN, discurso pronunciado en la clausura del curso El ministerio fiscal y los medios de comunicación, Pazo de Mariñán, 22 de septiembre de 2006.
    El concepto de transparencia está saltando con fuerza al campo jurídico. Un ejemplo entre muchos: la Ley francesa 2013-907, de 11 de octubre de 2013, relativa a la transparencia en la vida pública. En España, está en curso de tramitación parlamentaria el proyecto de ley de transparencia, acceso a la información pública y buen gobierno.

IV

LO JURÍDICO COMO OBJETO CRECIENTE DE ATENCIÓN PARA LA TRANSPARENCIA Y PUBLICIDAD RECLAMADAS POR LA SOCIEDAD CONTEMPORÁNEA

A. PLANTEAMIENTO

Hemos apuntado en el apartado precedente que la transparencia y la publicidad son dos elementos que caracterizan con fuerza a la sociedad contemporánea, algo que influye en la forma de expresión verbal y escrita.

Este fenómeno ha sido apreciado desde hace tiempo en el campo político –de modo particular en el parlamentario–, en el económico-empresarial –la transparencia y publicidad a la que deben someterse las sociedades mercantiles se ha incrementado normativamente mucho en las últimas décadas–, y en el sociológico por no mencionar más.

Sin embargo, la presencia de este fenómeno en el terreno jurídico es más reciente, al menos en los términos acentuados con los que aparece en nuestros días, y no ha merecido la atención del estudioso tan intensa como lo ha hecho en otros campos indicados antes.

Pero ante la fuerza de la transparencia y publicidad que impregnan las entrañas de la sociedad contemporánea van cayendo paso a paso todas las limitaciones, y entre ellas las existentes hasta hace poco en el campo de lo jurídico.

No es una sola causa. Son varias las que han empujado con insistencia los focos de la transparencia y la publicidad hacia lo jurídico y aquí los mantienen con decisión y aplomo.

A la postre, el fenómeno al que aludimos ocasiona notables efectos en el lenguaje jurídico tanto en sí como en su relación con los medios de comunicación social, extremo que será abordado con detalle en sucesivos apartados del libro.

B. CAUSAS

1. LA JUDICIALIZACIÓN DE LA POLÍTICA

No parece exagerado afirmar que nunca en nuestra larga historia los juzgados y tribunales han conocido tantas controversias de naturaleza o fondo políticos como en estos días.

Por mucho que se le quiera quitar importancia, esta situación es reveladora, entre otras cosas, de la incapacidad de los mecanismos políticos para resolver sus propios problemas[1]. No quiero decir con esto que no haya cuestiones políticas que revistan una dimensión jurídica de la que, dada su naturaleza, tengan que conocer los juzgados y tribunales. Lo que afirmamos es que la judicialización y, por tanto, la juridificación son utilizadas como armas políticas arrojadizas de tal manera que se rebasan con impropiedad las fronteras políticas a las que deberían haberse ceñido los problemas políticos en cuestión a la luz de su naturaleza. Esto, se mire por donde se mire, es revelador de un mal funcionamiento de los mecanismos pertinentes para la solución o encauzamiento de los problemas políticos.

2. LA JUDICIALIZACIÓN DE LO ECONÓMICO-EMPRESARIAL

Tampoco ha sido extraño en la reciente historia de España ni lo sigue siendo hoy la frecuente dilucidación de diferencias económico-empresariales ante los jueces y tribunales. Estamos, además, ante un fenómeno con tendencia al crecimiento, «asistiremos –ha declarado el abogado Emilio CUATRECASAS– a una juridificación generalizada de la vida económica»[2].

No nos referimos al creciente número de asuntos económico-empresariales propios del desarrollo más o menos normal de la vida mercantil, que ha llevado a la saturación a muchos juzgados de lo mercantil ya a más de uno de los juzgados mercantiles de reciente creación. Nos referimos a un

---

1. Un ejemplo, entre otros muchos, del fenómeno que apuntamos. Lo traemos a colación por su singularidad. El suplemento de Valencia/ciudad de el diario El Mundo, edición de la Comunidad Valenciana, del domingo 12 de noviembre de 2006, página 7, daba noticia de que el grupo municipal socialista del Ayuntamiento de Valencia había presentado una denuncia ante la Fiscalía en la que se solicitaba que se incoaran las «diligencias pertinentes» para imputar al Ayuntamiento de Valencia en las personas correspondientes por un posible delito contra el patrimonio histórico por el mantenimiento de la cúpula que cubre el patio gótico del edificio de la Generalidad Valenciana.
2. E. CUATRECASAS, entrevista aparecida en el diario económico Expansión el martes, 21 de noviembre de 2006, página 50, dentro de las páginas dedicadas a la información jurídica.

fenómeno que, por otro lado, tiene dimensiones internacionales[3], al desfile de bastantes de los principales actores de la vida económico-empresarial española por los juzgados y tribunales de casi todas las jurisdicciones. El magistrado Perfecto ANDRÉS IBÁÑEZ alude como algo predicable del ejercicio de la jurisdicción a «la extensión del espectro de la garantía judicial a nuevos sectores de intereses, que han experimentado formas inusuales de afectación jurisdiccional, con frecuente desasosiego de sus poderosos titulares, un día no lejano legibus solutus», afirmación predicable tanto del fenómeno de la judicialización de la política como de lo económico-empresarial. En suma, subraya este mismo autor que: «Como pone de relieve una simple mirada a la prensa diaria, en este momento puede adquirir estatuto judicial cualquier asunto y en cualquier parte; muchas veces con grados de complejidad ciertamente altos». Con frecuencia tienen estos asuntos naturaleza económica y no es inusual que su adecuado tratamiento obligue a reconstruir enrevesadas vicisitudes financieras[4].

Con la llegada de acontecimientos de la vida económico-empresarial de relumbrón a los juzgados y tribunales asistimos, a semejanza de lo que ocurría con las controversias políticas, a una intensificación de los focos de la transparencia y publicidad proyectados sobre el campo jurídico.

3. LA MASA COMO ACTOR DE LO JURÍDICO

¿Quién pone en duda el sistema intensamente garantista de los derechos y las libertades que consagra la Constitución de 1978 y que, con mimetismo de claro fin político, desarrollan ciertos cuerpos jurídicos como, por ejemplo, el Estatuto de Autonomía de Cataluña? Es indudable, a su vez, que el ciudadano medio español tiene hoy más conocimientos, aunque sólo sea por vía intuitiva, y entre esos conocimientos se hallan los jurídicos. Por otro lado, se puede apreciar cómo avanza en nuestros días la configuración de una sociedad basada en ciudadanos con derechos en primer e inexpugnable lugar y con deberes relegados a un segundo y débil plano. Escribe en tal sentido el sociólogo José Juan TOHARIA CORTÉS que: «La sociedad española –o lo que es

---

3. Véase en tal sentido, entre otros muchos, los siguientes artículos periodísticos: «Call to protect Us groups from shareholders lawsuits», Francesco GUERRERO, Financial Times, 30 de noviembre de 2006; «Saving Wall Street», R. GLENN HUBBARD y John L. THORNTON, The Wall Street Journal, 30 de noviembre de 2006; «The cost of compliance: as listings go elsewhere, US regulators take a fresh look», Jeremy GRANT, Francesco GUERRA y Krishna GUHA, Financial Times, 20 de noviembre de 2006, y «Paulson to call for rethink on US rules», Krishna GUHA y Jeremy GRANT, Financial Times, 20 de noviembre de 2006.

4. P. ANDRÉS IBÁÑEZ, «El juez», en El oficio de jurista, siglo XXI, Madrid, 2006, páginas 163 y 164.

igual, el público del sistema jurídico, que es a su vez su titular último y su destinatario directo– ha experimentado profundas transformaciones... Por lo que respecta en concreto al ámbito jurídico, la sociedad española constituye un público cada vez más amplio, más alerta, más reivindicativo y más exigente. En España, como en todas las democracias avanzadas, se ha consolidado lo que FRIEDMAN (1985) describe como un anhelo de justicia total: es decir, la generalizada expectativa de que los daños deben ser prevenidos; las pérdidas compensadas y los derechos, activa y atentamente protegidos»[5].

Todos estos factores desembocan, debidamente auspiciados por otros en los que no podemos entrar por su excesivo alejamiento del objeto de nuestro trabajo, en la entronización de la masa como actor del proceso jurídico[6].

¿Cuántas veces se oye a muchos ciudadanos hablar del «abogado» o incluso de «su abogado» como un elemento imprescindible para el desarrollo de la vida actual en todas sus facetas? ¿Cuántas veces hemos podido presenciar o padecer muchos de los concernidos que, a la menor, la salida de un problema resoluble por otras vías es su remisión a los juzgados y tribunales?[7]. TOHARIA CORTÉS se refiere a «la extensión y consolidación de una "cultura de la reclamación"»[8].

Un abogado de tan nutrida experiencia como Antonio GARRIGUES nos da cumplida noticia de este fenómeno con las siguientes afirmaciones: «El

---

5. J. J. TOHARIA CORTÉS, «Las profesiones jurídicas: una aproximación sociológica», en El oficio de jurista, siglo XXI, Madrid, 2006, páginas 2 y 3.
6. Un dato curioso en la línea de lo expuesto. El periódico económico Expansión publicó el 13 de noviembre de 2006, página 24, un artículo firmado por Juan LLOBELL titulado «La incipiente decadencia de Nueva York como capital financiera mundial». Entre las causas de este fenómeno se cita «la tendencia al litigio jurídico», y con relación a ello se informa de lo siguiente: «Las demandas colectivas han trepado desde 150 millones en 1997 a los 9.600 millones de dólares (7.502 millones de euros) en 2005. Muchas de estas denuncias contra compañías se consideran frívolas e injustificadas y no hacen más que engordar irracionalmente los gastos de litigar».
7. Este fenómeno va unido al del crecimiento del ordenamiento jurídico tan propio de la sociedad contemporánea. «En estos últimos años –manifiesta el catedrático de Sociología TOHARIA CORTÉS–, el sistema legal ha experimentado un espectacular proceso de "ensanchamiento" o "extensión" en el conjunto de los países más desarrollados. La realidad social ha devenido recientemente juridificada. Nuestro país no ha escapado precisamente a lo que parece un sino colectivo. Paradójicamente, cuanto más prolijamente se regula un tema, más confusa y discutible puede acabar siendo la interpretación del mismo. Lo cual, sin duda, no puede sino incrementar las probabilidades de acabar buscando diariamente consejo legal especializado, y de recabar la acción de los tribunales». Y, como este mismo autor señala con aportación de datos sociológicos: «Ya no existen diferencias significativas por clase social en cuanto a la posibilidad de poder contar con asistencia letrada». J. J. TOHARIA CORTÉS, «Las profesiones jurídicas...», páginas 3, 4 y 10.
8. J. J. TOHARIA CORTÉS, «Las profesiones jurídicas...», página 6.

mundo que viene es un mundo jurídico. Hace unos años lo jurídico era muy limitado. Ahora está en todas partes. Todo el mundo tiene reclamaciones, deberes y derechos. Y no lo digo por decir. En Estados Unidos empiezan a tener una especie de fervor por el peso cada vez mayor de la industria legal. El mundo empresarial ya no hace nada sin el asesoramiento de sus abogados. Y ningún ejecutivo se atrevería hoy a tomar una decisión contra la opinión de su asesor legal»[9].

La llegada de la masa al terreno jurídico desencadena, entre otras consecuencias, el acercamiento del crecido número de sus integrantes al lenguaje jurídico o, visto desde otro ángulo quizá más conveniente para el estudio emprendido, que el lenguaje jurídico a menudo deba tener en cuenta su destinatario –los numerosos integrantes de la masa– y adaptarse en su expresión a ello.

Hay una segunda consecuencia que quiero apuntar. Como llegan para su tratamiento tantos asuntos al campo de lo jurídico en cualquiera de sus manifestaciones, alguno de estos asuntos, y son tantos que siempre hay alguno, puede merecer por su contenido o sus actores la atención de los focos de la transparencia y publicidad. Incluso y a mayor abundamiento, los asuntos que llegan en masa al campo jurídico puede que no afecten de manera aislada a uno de los integrantes de aquella formación humana, pero puede también que afecten a un número elevado de personas y que por su alcance y repercusión colectivos, por su alarma social si acudimos al término más a la moda actual, sean merecedores de que la atención de la transparencia y de la publicidad reparen en ellos.

4. EL CRECIENTE INTERÉS DE LA SOCIEDAD POR LO JURÍDICO

Lo jurídico y su lenguaje se mezclan hoy con la vida ordinaria de los ciudadanos como fruto en buena parte de los factores esbozados en las líneas precedentes. Esta pauta se concentra en ciertos puntos, que por las circunstancias que concurren en ellos, pueden ser acreedores de mayor o menor interés para los requerimientos de la transparencia y publicidad.

Por una parte, cuantos más conflictos de alcance general y colectivo entre los ciudadanos lleguen a los tribunales y, sin llegar a éstos, necesiten de tratamiento jurídico, mayor será el interés de la sociedad actual por lo jurídico y su lenguaje. Lo más seguro es que estos casos, dados el alcance y la trascendencia individual de tales conflictos, resulten indiferentes a la

---

9. Declaraciones de Antonio GARRIGUES WALKER a Expansión, martes, 7 de noviembre de 2006, página 50.

transparencia y publicidad, que no atraigan su atención, pero eso no quita que, simplemente por razón del número de conflictos individuales que se juridifican, sea preciso poner de manifiesto el creciente interés de la sociedad de nuestros días por lo jurídico.

No olvidemos que la transparencia y la publicidad justifican el interés por lo jurídico y su lenguaje, además de cuando concurre lo indicado en el párrafo anterior, cuando los conflictos son de raíz política o están por medio actores de la vida política o protagonistas de lo económico-empresarial. Aquí el acercamiento a lo jurídico es irresistible y en los tiempos que corren cada vez más frecuente en virtud de los fenómenos sociológicos esbozados líneas atrás.

5. EL VEDETISMO JUDICIAL

Una manifestación de la realidad con la que nos topamos a menudo es la de ciertos jueces ocupando primeros lugares en los medios de comunicación social. Algunos integrantes de la magistratura[10], a los que acompañan con menor frecuencia miembros del ministerio fiscal, de la abogacía y de la cátedra, se han convertido en personajes públicos que aparecen enjaretados en cualquier conversación, incluso en las de tono menor y coloquial, como protagonistas a la misma altura que un deportista, un político o un artista.

Se tiende a atribuir la causa de este fenómeno a los deseos y ambiciones personales de los llamados jueces-estrella y equivalentes. En realidad, la etiología del llamado vedetismo judicial es más profunda y variada. Es quedarse en la epidermis de las cosas cargar en exclusiva sobre las espaldas de sus actores el surgimiento de un fenómeno que responde a más causas.

En primer término, hay razones de índole general que favorecen el protagonismo judicial al que aludo. La juridificación de la política y de la vida económico-empresarial ha hecho recalar en el mundo jurídico en general y en el judicial más en particular una serie de materias que encienden el fuego de la atención general.

A su vez, como muchas de las cuestiones que llegan a la mesa de trabajo de los llamados jueces-estrella están empapadas de trascendencia general y

---

10. En relación a lo cual escribe J. J. TOHARIA CORTÉS, «Las profesiones jurídicas...», página 12: «Los jueces han pasado a adquirir un protagonismo tan inesperado como inédito. La "judicialización de la vida pública" –es decir, "la tendencia a que un creciente número de decisiones que antes eran tomadas dentro del ámbito político pasen a ser adoptadas por jueces que no han de responder ante ningún electorado"– es o puede llegar a ser "una de las pautas más significativas en el terreno político en este final del siglo XX y comienzos del siglo XXI"».

no pueden negar su interés muy extendido para terceros, entran de inmediato en juego las exigencias de la transparencia y publicidad tan consustanciales, como hemos ya reiterado hasta la saciedad, a la sociedad contemporánea. ¿En qué desemboca todo esto con la máxima rapidez? Entre otros extremos, en la rauda presencia de los medios de comunicación social ante cuya presión ejercida por cauces de todo tipo no es fácil oponer resistencia o levantar barreras. Cierto es que en este contexto las inclinaciones y aspiraciones humanas juegan también su papel, que, según sea éste, pueden dar alas mayores o menores al resto de las causas que confluyen a la hora de nutrir la hoguera del vedetismo judicial, pero no atribuyamos al factor humano toda la responsabilidad en su auge actual.

Al margen de que el fenómeno mencionado en estas líneas dé motivo para que algunos se escandalicen con, a mi juicio, exageración y algún desconocimiento de las corrientes subterráneas que acaban emergiendo en la sociedad contemporánea, lo cierto es que contribuye mucho a intensificar el interés por lo jurídico a lo que va unido el interés por su lenguaje.

V

HACIA UN LENGUAJE JURÍDICO MÁS EN SINTONÍA CON LAS CIRCUNSTANCIAS SOCIALES REINANTES HOY DENTRO DEL MANTENIMIENTO DE SU PROPIA ENTIDAD

A. PLANTEAMIENTO

Junto a la introducción general en el tema, he escrito hasta aquí de las características del lenguaje jurídico en general, acerca de las características de la sociedad contemporánea que influyen sobre este lenguaje y acerca de las causas que abonan el interés creciente de la sociedad por lo jurídico.

Una vez trazado este panorama estamos en condiciones de afrontar los efectos que lo antes expuesto desencadena sobre el lenguaje jurídico actual en sí, sobre el dirigido a juristas y sobre el dirigido a terceros interesados[1].

Adviértase que el jurídico no es un lenguaje puramente figurativo en el que los entes reales sufran una desfiguración conceptual tal que se transformen en entes ideales con alejamiento insalvable de la realidad de las cosas, de su objetividad, para recaer así en un lenguaje incomunicable o sólo comunicable entre los introducidos en él.

El lenguaje jurídico, por el contrario y a nuestro parecer, debe tomar por base una estructura real apoyada por necesidad, eso sí, en entes ideales o de razón creados para satisfacer por la vía de los conceptos y categorías aceptados las exigencias que su naturaleza científica impone en el seno de las ciencias sociales.

Como el lenguaje jurídico debe responder a una estructura real, objetiva, sin perjuicio de sus inevitables incrustaciones ideales, es receptor de las

---

1. Muchas de las sugerencias que a título de propuesta se formulaban en la primera edición y se mantienen en la segunda se reflejan en el excelente Informe de la Comisión de modernización del lenguaje jurídico, Ministerio de Justicia, 2011, páginas 5 y siguientes. Su lectura es recomendable para todo profesional y estudioso del Derecho.

circunstancias propias de la sociedad contemporánea que influyen en la forma en la que se manifiesta la expresión oral o escrita en general.

Por otro lado, el lenguaje jurídico no es una estructura comunicativa única que pueda permanecer al margen de todo contacto con otras estructuras de la misma condición, sobre todo con la común o general, por mucho afán aislacionista y de complejo de isla del que haya podido hacer gala en ciertos momentos de su evolución. Sufre el lenguaje jurídico la influencia y hasta la presión del lenguaje general o común y las características que impregnen a éste pueden acabar presentes por un camino u otro en aquél.

Al fin, advirtamos que los factores que encaminan el lenguaje jurídico hacia una mayor sintonía con lo que la sociedad le demanda hoy son, en nuestro criterio, los que, a su vez y como regla general susceptible de excepciones, encaminan hacia lo que el profesor PRIETO DE PEDRO llama «un buen lenguaje legal»[2]. Esta meta no es sólo exigencia de la estética y de la correcta expresión gramatical oral o escrita, hay fundamentos jurídico-constitucionales que así lo reclaman. El autor mencionado en último lugar los condensa en: la cláusula del Estado democrático, el principio de seguridad jurídica y el concepto de Estado de Cultura[3].

B. EL MANTENIMIENTO EN TODO CASO DE LA PROPIA ENTIDAD DEL LENGUAJE JURÍDICO

1. Arranquemos de una afirmación capital: por mucho que parte de las circunstancias sociales que prevalecen en la actualidad tiendan a desfigurar el lenguaje jurídico con pretensión última, inconfesada pero latente, de diluirlo, mezclarlo con el lenguaje común hasta perder todo rasgo identificativo, por mucho que la corriente actual de la sociedad favorezca estos extremos, el lenguaje jurídico para cumplir su misión debe seguir siendo un lenguaje especial con los andamiajes precisos para sustentar su condición científica. Como señala el profesor OLIVENCIA: «El lenguaje vulgar será más accesible para la mayoría de los ciudadanos; pero, desde luego, no es el más adecuado a la precisión y a la seguridad que exige la formalización del Derecho. Sacrificar los "tecnicismos", lejos de facilitar la comprensión del lenguaje jurídico, inducirá a equívocos y a errores, a recepciones deformadas del mensaje y a falsos entendimientos. El Derecho ha de escribirse en su lengua propia y con propiedad en el lenguaje. Su terminología especializada no

---

2. J. PRIETO DE PEDRO, «Lenguas...», op. cit., página 144.
3. Para más detalle vid. J. PRIETO DE PEDRO, «Lenguas...», op. cit., páginas 144 y siguientes.

cabe reducirla a lenguaje vulgar; el Derecho es de todos, pero su cultivo exige una profesionalización de la que no cabe prescindir»[4].

De lo que se trata cuando postulamos que las reglas del lenguaje jurídico sintonicen más con las circunstancias sociales de hoy no es de que este lenguaje se convierta en una manifestación más del común o general. Muy al contrario, lo que se pretende es que el respeto de ciertas reglas permita al lenguaje jurídico atender mejor y sintonizar más con el entorno social prevaleciente en estos momentos sin que esto atente contra la naturaleza propia de dicho lenguaje.

2. A partir de esta afirmación capital, pasemos al estudio de las reglas esenciales que el lenguaje jurídico ha de mantener por muy consonante que quiera ser con los requerimientos de la sociedad de nuestros días.

a. La creencia en un sistema jurídico completo y construido «more geométrico» retrocede ante el empuje de los planteamientos tópicos más proclives al casuismo particularizador anglosajón que al aparato jurídico de planta general de inspiración napoleónica-continental[5].

Esto trae consigo un rechazo de la aspiración de construir un edificio jurídico de cañamazo sistemático basado en conceptos de aplicación general y en deducciones precisas extraídas de premisas claras. Parafraseando al filósofo norteamericano Richard RORTY, si nos atenemos al plano subjetivo, se pasaría de un jurista sistemático a un jurista edificante[6], paso a paso, caso a caso, añado por mi cuenta.

---

4. M. OLIVENCIA RUIZ, «La terminología jurídica de la reforma concursal», Real Academia de Jurisprudencia y Legislación, Madrid, 2005, páginas 34 y 35.
5. Como escribe Elías DÍAZ, Sociología y Filosofía del Derecho, Taurus, reimpresión de la 1ª edición, Madrid, 1974, página 101: «Por lo que a la crítica de la lógica deductiva todavía se refiere, habría que hacer alusión a uno de los intentos más consistentes y que mayor difusión ha alcanzado en los últimos tiempos cual es el formulado por el profesor Theodor VIEHWEG en su obra Tópicos y jurisprudencia. Se contrapone allí la tópica a la axiomática, la tópica a la lógica deductiva, la tópica, escribe Viehweg, es "una técnica del pensamiento que se orienta hacia el problema" (...). "La tópica pretende suministrar datos para saber cómo hay que comportarse en una situación semejante a fin de no quedar detenido sin remisión. Es, por tanto –concluye–, una técnica del pensamiento problemático"».
   Favorece los planteamientos casuísticos el fenómeno del que con admirable concisión nos da noticia Alejandro NIETO, El derecho y el revés, junto con Tomás-Ramón FERNÁNDEZ, op. cit., página 68: «En el transcurso de los años, no obstante, la posición de la ley se fue deteriorando inexorablemente al irse complicando la estructura social (que no podría encajarse en el rudimentario esquema de burguesía-proletariado), al diversificarse los intereses económicos y, sobre todo, al no poder resolver técnicamente la desmesurada extensión del intervencionismo público».
6. Tomo la cita de M. CRUZ, Filosofía contemporánea, Taurus, Madrid, 2002, página 306.

El enfoque tópico y casuístico que gana terreno vivifica con aires procedentes de la realidad de las cosas el discurso jurídico y, por tanto, su lenguaje. Por eso acerca lo jurídico a los requerimientos que la sociedad actual le dirige. Pero al mismo tiempo representa un indesdeñable peligro para el Derecho y su forma de expresión sea oral o escrita.

En efecto, los conceptos y categorías que ensamblan, dan sentido unitario y cimentan el carácter científico de lo jurídico suelen constituir un obstáculo para la forma de ver los asuntos jurídicos con exclusivo ojo tópico y casuístico. Este último enfoque, por tanto, desemboca, de modo más o menos velado, en aguar los conceptos y categorías jurídicos generales, en limar sus aristas y hasta negarles sus efectos generales y fundantes.

Las consecuencias de este proceso no son menores. Son adversas para el tratamiento de los problemas jurídicos que garanticen a los ciudadanos nada más y nada menos que la vigencia de los principios de generalidad y seguridad jurídica.

El lenguaje jurídico oral o escrito correcto es uno de los principales padecedores del creciente casuismo en la consideración de los problemas jurídicos y la subsiguiente debilitación de los conceptos y categorías jurídicos generales. El retroceso de la función que desempeña en el proceso jurídico los entes de razón que son los conceptos y categorías jurídicos socaba a renglón seguido la especialidad del lenguaje jurídico y lo arroja en lo que suele ser amorfa indeterminación del lenguaje común de más fácil y cómoda aplicación al supuesto concreto que se aborde. El lenguaje jurídico por esta vía se transforma en un vehículo propagador de la falta de generalidad y de la inseguridad jurídica, que tanto atentan contra el principio de justicia.

Dicho de manera más sintética, la presión que las circunstancias sociales reinantes ejercen sobre lo jurídico en general y en particular sobre su lenguaje propio no pueden llegar al extremo de desfigurar la base categorial y conceptual sobre el que uno y otro se sustentan. En tal sentido nos apoyamos en la autoridad del profesor OLIVENCIA expresada en este punto así: «La terminología jurídica es instrumento técnico indispensable para expresar, con la deseable claridad y precisión, conceptos jurídicos. Pero el drama actual que vive ese preciso patrimonio léxico de la ciencia del Derecho es la oposición que padece por parte de quienes lo denostan como un mal, que, como tal, debe ser evitado. Se piensa que, para acercar un Derecho a los ciudadanos, los juristas debemos prescindir de un vocabulario arcano, que en lugar de servir de vestido transparente de las ideas, se convierte en barrera de incomunicación que dificulta la comprensión por el profano. Y la solución que se ofrece es la llamada «regla de la inevitabilidad», que sólo permite el uso de términos técnicos –convertidos, peyorativamente, en tecnicismos– cuando no queda más remedio.

Las leyes se escriben para quienes la «vieren y entendieren»; las sentencias, para resolver litigios y es bueno que sean claras y precisas, pero no por ello deben evitar un léxico nacido precisamente para expresar con claridad y precisión los conceptos propios del Derecho»[7].

En suma, el lenguaje jurídico dentro de su especialidad y en lo no sustancial puede mostrarse atento a los requerimientos sociales expuestos en la primera parte de este trabajo. Vistos tales requerimientos, a lo máximo a lo que, a mi juicio, el lenguaje jurídico puede llegar bajo su impulso es a aligerar la carga argumentativa y conceptual-categorial propia de la especialidad del lenguaje jurídico, no a anularla o vaciarla hasta dejar a éste sin contenido propio.

b. El lenguaje jurídico es por naturaleza argumentativo en el sentido que tuvimos oportunidad de analizar en un apartado precedente. Conviene recordar en este momento que la corrección del lenguaje jurídico reclama siempre que lo que se afirma, a la par que racional y concorde con el sentido común, sea fundamentado por medio de la argumentación tendencialmente conclusiva o decisional. En conexión con lo cual escribe el magistrado Perfecto ANDRÉS IBÁÑEZ: «Constata Aarnio que "la gente exige no sólo decisiones dotadas de autoridad sino que pide razones". Esto vale también para la administración de justicia. La responsabilidad del juez se ha convertido cada vez más en la responsabilidad de justificar sus decisiones... maximizar el control público de la decisión... Los juristas y los jueces, cierto que desde no hace mucho tiempo, acostumbran a hablar de motivación de las sentencias en términos que ya sugieren con claridad la exigencia de un discurso justificativo»[8].

Así pues, la argumentación conclusiva es esencial al lenguaje jurídico. No es esencial en él y sí circunstancial la forma en la que se despliegue tal argumentación, campo en el que, por otro lado, son exigentes los requerimientos que le llegan a lo jurídico desde fuera. Es indudable que el lenguaje jurídico y la argumentación que lo nutre suelen pecar de apelmazados y sobrecargados; la claridad y la entendibilidad sufren; la transparencia y la publicidad se resienten ante barreras en ocasiones insalvables. Y no menos cierto es que el apelmazamiento y la sobrecarga del lenguaje jurídico es algo

---

7. M. OLIVENCIA RUIZ: «La terminología jurídica...», op. cit., página 34.
8. P. ANDRÉS IBÁÑEZ, «La argumentación probatoria...», op. cit., páginas 21 y 22.

que se compadece mal con lo que las corrientes de la sociedad que nos ve vivir demandan al Derecho y su expresión verbal o escrita[9].

En cuanto a la forma en que se despliega la argumentación, los juristas solemos caer en una vieja trampa, vieja como el Derecho, que está preparada con los mimbres de la ancestral niebla demiúrgica que ha empañado la trayectoria multisecular de lo jurídico y de su forma de expresión oral o escrita. Nos creemos que el carácter especial, científico de la materia sobre la que se desarrolla nuestra profesión impone inevitablemente un lenguaje enrevesado y apelmazado que dificulta al extremo su entendimiento para aquellos que no pertenezcan a la casta de los juristas, y bastante a menudo –hay que decirlo– incluso para los integrantes de esta casta.

Es consustancial con lo que reclaman los tiempos que corren que hagamos trizas tan errónea idea y que pongamos lo argumentativo propio del lenguaje jurídico, oral o escrito, en mayor sintonía de lo que está con lo que la sociedad contemporánea exige a los juristas. Para eso tenemos que rasgar el velo de la sobrecarga escrita o de la monserga hablada. Sin perder su esencia especial, hemos de adaptar el desarrollo predominantemente argumentativo del lenguaje jurídico a las pautas que planteamos a partir de estas líneas, pautas que llevan a una forma de expresión jurídica más cercana a la común y más querida por los principios de transparencia y publicidad.

C. LAS REGLAS PROPIAS DE UN LENGUAJE JURÍDICO RESPETUOSO CON SU PROPIA ENTIDAD Y CONSONANTE CON LOS REQUERIMIENTOS DE LA SOCIEDAD DE NUESTROS DÍAS[10]

1. HACIA UN LENGUAJE JURÍDICO MÁS SENCILLO Y LLANO

Postulo que el lenguaje jurídico actual en cualquiera de sus vertientes debe evolucionar hacia una mayor sencillez y llaneza. La siguiente confesión

---

9. No olvidemos que, como escribe D. CASSANY, «La cocina...», op. cit., página 26: «La democracia se fundamenta precisamente en la facilidad de comunicación entre la ciudadanía. Sólo las personas que tienen acceso a la información de la comunidad pueden participar activamente en la vida pública política, cívica o cultural. Los párrafos confusos, las frases complicadas y las palabras raras dificultan la comprensión de los textos, privan a las personas del conocimiento y, por lo tanto, las inhiben de sus derechos y deberes democráticos ¿Quién podrá cumplir una ley que no se entiende? ¿y quién se atreverá a quejarse o a reclamar algo, si los criterios o las vías para hacerlo no están claros?».

10. R. Mª JIMÉNEZ y J. MANTECÓN coinciden en los capítulos 2, «Lenguaje sencillo y claro», 3, «Lenguaje preciso», y 4, «Lenguaje correcto» en su didáctico libro Escribir bien es de justicia, Aranzadi Thomson Reuters, Cizur Menor (Navarra), 2012, con muchas de las apreciaciones y apuntes recogidos al respecto en el cuerpo del libro

del maestro Joaquín GARRIGUES debe constituir faro orientador de todo jurista actual: «He procurado siempre hablar y escribir en materia jurídica en un lenguaje llano, directo y conciso, huyendo del excesivo tecnicismo»[11].

Una mayor sencillez y llaneza en la expresión jurídica son requerimientos principales de la transparencia y publicidad. «A partir de los años sesenta y setenta –escribe CASSANY–, las asociaciones de consumidores de EE UU se dieron cuenta de que para defender a sus asociados era necesario comprender los textos importantes que afectan a los ciudadanos: leyes, normas, seguros, impresos, contratos, sentencias, condiciones, garantías, instrucciones, etc. Con la progresiva expansión de la burocracia, de la legislación, de la tecnología, la vida cotidiana se había inundado de escritos imprescindibles que no siempre se comprendían. Piensa, por ejemplo, en las actuales sentencias judiciales, los impresos de hipotecas, préstamos, de seguros, o incluso en los estatutos de determinadas organizaciones. ¿Se entienden fácilmente? Estas asociaciones empezaron a exigir que toda esta documentación se escribiera con un estilo llano, asequible para todos»[12].

Una mayor sencillez constituye necesidad que tiene que afrontar el lenguaje jurídico sin dilación y con convencimiento dentro de los límites que las características del lenguaje jurídico permite[13]. No caigamos los juristas en el error de confundir sencillez con vulgaridad entendida como zafiedad y superficialidad. La sencillez es hermana de la elegancia, es compatible a la perfección con la sustancialidad y es un puente firme hacia la maestría lingüística. Tampoco caigamos en la equivocación de que la sencillez atenta contra la especialidad de la expresión jurídica; el lenguaje jurídico sencillo de ninguna manera dificulta que la carga conceptual y categorial, que el

---

11.   J. GARRIGUES, «Dictámenes...», op. cit., página VIII.
       Son acertadas las siguientes consideraciones de M. JIMÉNEZ DE PARGA, «Derecho y lenguaje», Tercera de ABC, correspondiente al miércoles 13 de junio de 2001: «En la jurisprudencia de los tribunales encontramos numerosos casos de ocultación y de falsificación por medio de un lenguaje descontrolado o que no ha seguido los dictados del sentido común. Tampoco son infrecuentes las resoluciones judiciales en las que el lenguaje empleado no ha sido capaz de captar las visiones del fondo de la realidad proporcionadas por la intuición. Cuando un juez o un tribunal escribe "es claro que", lo más probable es que el razonamiento sea oscuro, indescifrable».
12.   B. CASSANY, «La cocina...», op. cit., página 25.
13.   Con relación a lo cual el magistrado Joaquín BAYO DELGADO, «El lenguaje forense: estructura y estilo», en Lenguaje forense, Escuela Judicial, Consejo General del Poder Judicial, Madrid, 2000, página 41, manifiesta lo siguiente: «Lo que se defiende aquí es que la complejidad no lleve más allá de lo necesario, lo cual es siempre relativo y sujeto al estilo personal. Introducir estructuras sintácticas muy complejas requiere un dominio de la lengua (y de la puntuación, como veremos) muy alto, que pocos tienen. La inexorable consecuencia es que bajo la apariencia de maestría lingüística lo que se demuestra es ignorancia pedante».

matiz, que la precisión, todo ello núcleo cordial de aquél, luzca con todo su esplendor. El lenguaje jurídico sencillo y llano permite la presencia de todos estos elementos. Lo que exige es que sean expresados de modo directo, sin artificios, aditamentos ni composiciones innecesarias y desfiguradoras de aquello que se quiere transmitir[14]. En esta misma línea se lee en el libro de estilo GARRIGUES que: «La sencillez exige redactar los textos con naturalidad, sin artificios ni palabras rebuscadas o extraordinarias, sin pretensiones retóricas o eruditas y sin construcciones enrevesadas. Aunque a veces pueda parecer lo contrario, la sencillez no está reñida con el rigor ni con la claridad técnica de los escritos jurídicos»[15].

Es un craso error en el que los juristas por desgracia caemos con cierta frecuencia contraponer lenguaje jurídico a lenguaje sencillo[16]. Escribe en este sentido PRIETO DE PEDRO que: «Sería un error creer que la calidad de la lengua escrita precisa cierta complejidad gramatical. Sin duda el nivel culto propende más, aunque no necesariamente, a usos complejos y creativos de la gramática. Pero el registro del lenguaje legal no es del nivel culto de la lengua, sino el del nivel común, porque para la función comunicativa que institucionalmente ha de cumplir –que la regla jurídica sea conocida por los ciudadanos– una gramática compleja es contraria a los fenómenos de anticipación del sentido y de inteligibilidad que favorece una sintaxis llana»[17]. Tenemos que salir o, al menos, aliviar este error tan perjudicial para que el Derecho desempeñe su función social hoy de modo eficaz y prestigiado.

Además de con la poda de artificiosidades y exornaciones la sencillez se alcanza por medio de los factores que pasamos a exponer.

2. HACIA UN LENGUAJE JURÍDICO MÁS CONCISO

Distingamos la concisión sustantiva de la concisión formal en el lenguaje jurídico oral o escrito.

---

14. Para el libro de estilo GARRIGUES, Thomson-Aranzadi y Centro de Estudios GARRIGUES, Madrid, 2005, página 188: «Contribuyen a la sencillez las siguientes prácticas:
Evitar el uso de arcaísmos y latinismos, salvo, a lo sumo, aquellos que sean breves y comúnmente conocidos...
Restringir también el uso de las palabras nuevas (no reconocidas por la RAE) y de extranjerismos, sobre todo cuando existe un término castellano equivalente al extranjero y comúnmente aceptado...
Observar el orden lógico en la construcción de frases y de párrafos».
15. Libro de estilo GARRIGUES, op. cit., página 187.
16. Afirma con acierto D. CASSANY, «La cocina...», op. cit., página 30, que: «El estilo llano no pretende desvirtuar los textos técnicos o especializados reescribiéndolos con una prosa corriente o incluso "vulgar"... La lengua es –debe ser– lo bastante dúctil y maleable para expresar cualquier dato con palabras comprensibles».
17. J. PRIETO DE PEDRO, «Lenguas...», op. cit., página 186.

La concisión sustantiva es la atinente a las ideas; la formal es la tocante al desarrollo expresivo y a la arquitectura formal propios del despliegue de tales ideas.

Aunque una y otra modalidad de la concisión expresiva son diferenciables, lo ideal es que aparezcan entreveradas en la forma en la que el abogado Ramón Bello indica: «La concisión es el fruto del dominio de la materia que, condensada, agotada, mas no diluida, se acomoda a los módulos expresivos indispensables para contenerla y trasladarla»[18].

a. Concisión sustantiva

El libro de estilo de Garrigues enuncia con tino y parquedad la regla de oro de la que hemos llamado concisión sustantiva. Lo hace así: «La concisión no se logra a base de mutilar, sin más, frases o vocablos, sino aprendiendo a destilar la esencia de las ideas». También se refiere al camino más directo y sencillo para lograr tal meta: «Aprovechar las sucesivas revisiones del texto para depurar y simplificar»[19]. En definitiva, la concisión sustantiva reclama que se pode todo lo que entorpezca el transcurrir natural y fácil de las ideas esenciales sobre las que se erija la argumentación pertinente.

b. Concisión formal

He aquí una equivocación que empapa con frecuencia indeseable la forma oral o escrita de expresión de los juristas: hablar o escribir en términos jurídicos equivale a hacerlo con extensión y abigarramiento; como señala Manuel Pulido: «La inercia de la tradición pesa y sigue existiendo en el ambiente la máxima de que la calidad se mide o pondera a peso de folios o según la extensión de páginas impresas del BOE o que se bajen de internet»[20]. Lo conciso se entiende por algunos como opuesto a lo jurídico. Se confunde concisión con carencia de densidad y con debilidad argumentativa.

---

18. R. Bello Bañón, «El lenguaje forense hablado», en Lenguaje forense, Escuela Judicial, Consejo General del Poder Judicial, Madrid, 2000, página 149.
19. Libro de estilo Garrigues, op. cit., página 188.
20. M. Pulido Quecedo, «De nuevo sobre la responsabilidad del Estado legislador», Jurisprudencia del Tribunal Constitucional, número 7, Thomson Aranzadi, 2006, página 9.
    Como observara el Académico de la Real Academia Española de la Lengua Gregorio Salvador Capa, «El lenguaje de las leyes», en Lenguaje forense, Escuela Judicial, Consejo General del Poder Judicial, Madrid, 2000, página 132: «Los fallos expresivos suelen ser más bien por exceso que por defecto, más por buscar posibles elegancias estilísticas que necesarias precisiones conceptuales, más por desviarse hacia parciales sinónimos confusos que por atinar con el término justo, aunque haya que repetirlo cuanto sea necesario, más por enredarse en inconvenientes perífrasis que por atenerse a los nombres comunes de las cosas».

El lenguaje jurídico, en principio, no tiene que ser ni extenso ni breve, aunque sea más aconsejable la tendencia a lo breve que a lo extenso[21]; en puridad, tiene que acomodarse a la materia que aborda y a la función que cumple, de lo que resultará que sea extenso o breve en mayor o menor medida. Sólo se puede acuñar una regla de oro en este punto: respeto al máximo del «sentido de la medida en el uso de los argumentos y en la extensión del informe... ni excesivamente largo, para no cansar a la Sala, ni excesivamente corto, para no causar al cliente el sacrificio de una sola palabra que pudiese favorecer a su defensor»[22].

Esta última afirmación es por entero válida en lo atinente a la sustancia del discurso jurídico. Pero junto a ello defiendo también con decisión, que el desarrollo formal del lenguaje jurídico en cualquiera de sus manifestaciones debe ser conciso. Deben respetarse, pues, las reglas que garantizan la concisión del desarrollo expresivo, sin perjuicio de que la sustancia argumentativa sea breve o larga en consonancia con lo que la materia demanda en cada supuesto.

La regla de oro en este terreno se resume en la huida de la prolijidad expresiva con la subsiguiente poda de toda palabra superflua por innecesaria o inconveniente; dicho de otra manera, se resume en el horror a la verbosidad. Manifestaciones más concretas de este proceder son la poda de las adjetivaciones y adverbializaciones excedidas; la supresión de los incisos innecesarios y desfiguradores, y la evitación de las redundancias cargantes y entontecedoras[23]. En palabras concisas, el lenguaje jurídico actual debe declarar la guerra a la hojarasca expresiva en beneficio de la sobriedad y lo escueto.

c. Concisión en la arquitectura formal

En todo lenguaje es importante la arquitectura formal que lo acompañe,

---

21. Entiende J. PRIETO DE PEDRO, «Lenguas...», página 180, lo siguiente: «El lenguaje legal debe tender a la frase breve. No porque la oración extensa sea incompatible con la buena gramática sino porque suele arrastrar mayores dificultades de construcción gramatical que la oración breve».
22. M. OLIVENCIA RUIZ, «Claridad y precisión...», op. cit., página 495. Estas afirmaciones las refiere el autor a don Joaquín GARRIGUES.
23. El libro de estilo de GARRIGUES, op. cit., página 188, menciona en favor de la concisión lo siguiente:
   «– Como siempre, pensar antes de escribir.
   Evitar el exceso de adjetivos, rechazar los desgastados, los raros y los superfluos.
   No repetir innecesariamente una misma idea, sino esforzarse por expresarla con claridad "a la primera". Debemos escribir con sentido práctico, centrándonos en lo que resulta útil a la finalidad pretendida y con el convencimiento de que una mayor extensión, por sí sola, no significa una mayor profundidad ni actividad del escrito.
   No hacer uso de los clichés, las frases hechas, los giros innecesarios o "de relleno" (de alguna manera, como es natural, desde luego, verdaderamente, evidentemente, en definitiva) ni tampoco de los circunloquios».

es decir, la disposición de las frases, de los párrafos y dentro de ellos de los distintos signos ortográficos de cada frase y párrafo.

La arquitectura formal del lenguaje jurídico suele tender a la desmesura y al alargamiento superfluo y confundidor.

No es infrecuente toparse escritos e intervenciones orales de carácter jurídico en los que las frases u oraciones forman una catarata de palabras superpuestas con tal sobreabundancia que el más atento y preclaro seguidor de ellas se pierde en la nebulosa del exceso. Es menester que los juristas, para acompasarse a los tiempos que desfilan, incorporemos a nuestro lenguaje pautas organizativas del desarrollo expresivo procedentes de otros campos. En tal dirección «todos los manuales de redacción aconsejan brevedad: el libro de estilo de El País recomienda una media máxima de 20 palabras por frase; el de La Vanguardia también cita un máximo de 20, pero descontando artículos y otras partículas gramaticales; France Presse pone el límite de legibilidad en los 30 vocablos o en las tres líneas; el resto (ABC, Reuter, Efe, TVE, Canal Sur, Avui, "La Caixa"...) coincide en preferir la oración corta con pocas complicaciones (o con un máximo de dos subordinadas: Reuter). Incluso el entonces MAP (Ministerio para las Administraciones Públicas) calificó de "longitud desmesurada" la extensión de 20-30 palabras que dice suele tener "el párrafo administrativo"»[24]. A su vez, una arquitectura formal concisa aconseja que en cada página haya al menos dos o más párrafos. Páginas con un solo párrafo fomentan la confusión desorientadora en el lector; el mismo efecto producen períodos orales demasiado largos, sin pausas ordenadoras.

Aunque sea algo menos directamente ligado a su arquitectura formal, el lenguaje jurídico debe buscar una adecuada división interna. Con independencia de su extensión y de la disposición formal de cada oración y de los distintos párrafos, el discurrir de lo jurídico oral o escrito tiene que descomponerse en epígrafes y apartados que organicen de un modo equilibrado y acorde con la lógica formal y material el desarrollo de lo que se esté exponiendo.

Por desgracia el lenguaje jurídico actual adolece más de lo admisible de una inadecuada arquitectura formal interna. Perjudica esto la claridad, dificulta la concisión y, a la postre, choca con las exigencias por las que la transparencia y la publicidad tanto claman.

Aquí una breve referencia a los incisos se impone. La adecuada arquitectura formal del lenguaje jurídico se opone con encono a la tan extendida lacra de los incisos superfluos causantes del desnorte argumentativo y a la

---

24. D. CASSANY, «La cocina...», op. cit., páginas 94 y 95.

exuberancia expresiva que no aportan nada útil al discurrir jurídico y que constituyen verdaderos obstáculos al fluir suave, elegante y conciso del pensamiento.

Está bastante extendido entre los juristas, más a menudo entre los más jóvenes a los que el paso de los años no les ha regalado aún el poso de la sabiduría jurídica, confundir el exceso de incisos con el matiz y la riqueza argumentativa. También es equivocación atacable, no sólo por su perversidad sino por la frecuencia con lo que uno se la topa, la creencia de que la artificiosidad expresiva con la alforja saturada de palabras y oraciones superfluas pone en el camino de la riqueza argumental y cultural. Nada más alejado de la realidad.

La sobreabundancia de incisos, por otra parte, corta el discurrir natural y fluido de la exposición jurídica, arrastra al lector por muy jurista que también sea al hartazgo y al rechazo, atenta gravemente contra la claridad de lo que se pretende manifestar, y, a fin de cuentas, este proceder se convierte en arma arrojadiza que se vuelve contra el que hace uso de ella.

La verbosidad y artificiosidad expresiva producen efectos devastadores para el buen y eficaz lenguaje jurídico en cualquiera de sus vertientes. Esta deficiencia lingüística estraga la claridad de la argumentación, descarga de fuerza, por la dilución a que se ven sometidos, a los razonamientos sustanciales que inspiran la intervención jurídica y enfada al lector u oidor que, por muy ducho jurista que sea, se tropieza sin parar con obstáculos en su sano propósito de enterarse con prontitud y hondura de aquello que se le quiere transmitir.

En suma, el exceso de incisos[25] y en general la sobreabundancia de palabra o de letra[26] en todas sus variantes son dos deficiencias que atentan contra la concisión que defiendo para el lenguaje jurídico adaptado a hoy. Sus efec-

---

25. Como indica D. CASSANY, «La cocina...», op. cit., página 103: «RICHARDAU (1978) califica el inciso de pantalla lingüística (ecran linguistique), porque corta el flujo natural de la frase. Propone hacer un uso moderado de los incisos, tanto en cantidad como en calidad, y da dos consejos. Primero, reducir los incisos a menos de 15 palabras, que, como hemos dicho antes, es la capacidad media de la memoria a corto plazo. Pero si no podemos prescindir de un inciso largo, entonces el autor recomienda –y éste es el segundo consejo que, dicho sea de paso, es una de las estrategias más usadas en el habla–, recomienda refrescar la memoria del lector repitiendo la última palabra después del inciso, tal como acabo de hacer repitiendo la palabra recomienda».

26. D. CASSANY, «La cocina...», op. cit., página 104, señala que: «Hay que comprobar que todas las ramas de la frase aportan información útil. A menudo algunas subordinadas y complementos del nombre (introducidos por de, por, a...) son muletillas o clichés de escaso o nulo significado... La frase gana claridad si se le poda la hojarasca seca y nos quedamos con las palabras claves, con las hojas verdes, lustrosas».

tos respecto a la transparencia y la publicidad son también devastadores. La concisión en el lenguaje jurídico se nutre, al fin, de la sobriedad y del esencialismo.

3. HACIA UN LENGUAJE JURÍDICO PRECISO Y MATIZADO

a. Introducción

El lenguaje jurídico debe ser el reino de la precisión y del matiz. La naturaleza y función de lo que por medio de él se quiere expresar verbalmente o por escrito reclama a grito pelado que lo que se diga o se escriba sea preciso y matizado. He aquí una exigencia permanente de lo jurídico, que en épocas ha llegado a extremos intolerables, que hoy decae empujada por la marea del lenguaje imperante y que debemos defender como algo propio e inesquivable de lo jurídico[27]. En efecto, como advierte Pablo BIEGER: «Los conceptos jurídicos son, en muchos casos, de precisión extrema: cualquier estudiante de Derecho distingue con total nitidez un "secuestro" de un "rapto", un "homicidio" de un "asesinato", el "uso" de un bien de su "disfrute", la "prescripción" de la "caducidad", la "invalidez" de la "ineficacia" y la "resolución" de la "rescisión", pues un error en el término empleado puede costarle la calificación. E incluso vocablos de uso corriente –"ausencia", "nocturnidad" o "mueble"– tendrán para él sentido específico y distinto al del uso común»[28].

No es esto por un falso prurito científico y artificial. Las exigencias de la precisión y del matiz constituyen una necesidad verdadera. El Derecho tiene por misión regular de un modo ordenado y con vocación de justicia las relaciones de todo tipo que se dan entre las personas, salvo contadas excepciones como, entre otras, las de carácter íntimo. En el desarrollo de tan amplia y profunda misión el Derecho, junto a objetos y personas reales, baraja, digámoslo una vez más, entes de razón, creaciones conceptuales y categoriales, herramientas éstas imprescindibles en el cumplimiento de su función. Además, todo el arsenal expresivo a que lo anterior da lugar se proyecta sobre una riqueza de hechos, actos y relaciones sociales y personales

---

27. Atención a este peligro que se cierne con fuerza sobre lo jurídico desde lo extrajurídico: «El fenómeno de destrucción idiomática que produce tal neutralización de significados es habitual entre nosotros y, por supuesto, muy inquietante,... distinciones lingüísticas precisas para expresar matices se están esfumando, sumidas en una zafiedad mental pavorosa. Hay zonas del idioma convertidas en un potaje sin tonos, impuesto por personas y personajes con resonante voz pública, cuyos sesos pintan con brocha gorda los pensamientos si nos permitimos llamarlos así» (F. LÁZARO CARRETER, «Comentar», El País, domingo, 2 de mayo de 1999, página 15).
28. P. BIEGER, «El abogado», op. cit., página 39.

de lo que nos da idea una afirmación con frecuencia en nuestros labios: la realidad siempre va más allá que la imaginación más calenturienta. Por otra parte, a través del lenguaje jurídico se definen situaciones que afectan a la vida, al patrimonio y al nombre de las personas, tarea que requiere precisión a efectos de delimitar tales situaciones en sí o con respecto a terceros.

Consecuente con ello, nada hay más alejado del buen lenguaje jurídico que la falta de matiz y la imprecisión[29].

b. Las secuelas del empobrecimiento lingüístico

Malos tiempos corren para el matiz y la precisión en el hablar y en el decir en general. Es bien conocido que el empobrecimiento lingüístico forma parte de las características de la sociedad contemporánea.

El lenguaje jurídico es un lenguaje especial. No es, empero, un lenguaje autónomo y menos independiente que pueda vivir aislado del general o común en el que se zambulle. Los vasos comunicantes entre el lenguaje común y el jurídico son de intenso e inesquivable flujo. Por ello el lenguaje jurídico coetáneo no es ajeno a la ola del empobrecimiento lingüístico general que arrolla[30].

La preocupación que este fenómeno debe suscitar a todo el que tenga dos dedos de frente reviste caracteres de mayor gravedad en el caso del lenguaje jurídico. El empobrecimiento lingüístico puede llegar a poner en grave peligro la posibilidad de que el Derecho cumpla la misión crucial que le corresponde en la sociedad contemporánea. Sin precisión ni matiz resulta imposible un pronunciamiento cumplido sobre el cúmulo de hechos, actos, negocios y relaciones cuyo tratamiento se confía a lo jurídico. Como escribe Manuel OLIVENCIA: «Las ciencias necesitan de un repertorio de términos para expresar sus propios conceptos con el rigor que su naturaleza exige. No se

---

29. Si malas son las imprecisiones en el lenguaje común, en el jurídico son imperdonables por sus efectos demoledores para la seguridad jurídica y la claridad de las diferentes situaciones que se dan en la vida aplicativa del Derecho. Un ejemplo: cunde por los textos jurídicos de toda naturaleza el empleo del verbo detentar como equivalente a ser titular de derechos con arreglo a la ley en sentido amplio, cuando para el Diccionario de la Real Academia de la Lengua detentar es «retener lo que no nos pertenece». Sobre este punto puede consultarse lo que escribe el vicedirector de la Real Academia Española de la Lengua J. A. PASCUAL en su libro No es lo mismo ostentoso que ostentóreo, Espasa, Barcelona, 2012, páginas 2008 y siguientes.

30. Como manifiesta el jurista y Académico de la Lengua S. MUÑOZ MACHADO, en la entrevista publicada en el ABC del 26 de marzo de 2013, página 70: «Todos los lenguajes técnicos son difíciles para las personas que no pertenecen a la comunidad de los especialistas. Suele decirse que los jueces y magistrados escriben sus resoluciones y sentencias en términos muy oscuros. No siempre es verdadera esta imputación. Pero quizá se puede mejorar mucho la literatura judicial».

trata de crear caprichosamente un lenguaje arcano, que resulte ininteligible a los profanos, sino de expresar conocimientos específicos con un lenguaje preciso, que identifique y diferencie con la mayor exactitud sus conceptos»[31].

Es consecuencia inevitable de lo que acabo de escribir que el lenguaje jurídico debe constituir un baluarte firme que ahuyente el hoy rampante empobrecimiento en el hablar y en el escribir que se traduce, entre otros extremos, en la reducción y la carencia de matices. El jurista, a la postre, debe esmerarse en que sus palabras y sus escritos no caigan en los grilletes devastadores para su profesión que supone el empobrecimiento léxico.

c. Los enemigos de la precisión y el matiz

Sentado lo anterior, me propongo poner de relieve algunos de los cauces por los que el empobrecimiento va penetrando con insidia en el lenguaje jurídico.

1'. Las palabras abductoras

Con pavor hay que presenciar la frecuente presencia de las repeticiones léxicas en el lenguaje jurídico. La repetición pone a temblar la precisión y el matiz tan necesarios para la expresión en nuestro campo.

Se caen de las manos escritos de juristas en los que la repetición insistente de uno o varios términos no cesa. Lo mismo puede predicarse de intervenciones orales.

Hay momentos, y el que vivimos es uno de ellos, en que una palabra centra la atención, atrae sin resistencia factible, se transforma en reina del vocabulario y abduce hasta su desaparición todos los sinónimos que surcan los océanos de la expresión como muestras de la variada riqueza de nuestra lengua. Son palabras que nos atrevemos a llamar abductoras. Por desgracia la lista es numerosa. No hay más que prestar una brizna de atención[32].

Pongamos algún ejemplo, no muchos, porque la retahíla sería por desgracia muy larga y nos llevaría más allá de la justa medida.

31. M. OLIVENCIA RUIZ, «La terminología jurídica...», op. cit., página 39.
32. Escribe F. LÁZARO CARRETER «Rumorología», Tercera del ABC, correspondiente al 12 de noviembre de 1996, al respecto: «Nuestros hablantes, en número estremecedor, progresivamente inclinados a no exigir a cambio de no exigirse ni ser exigidos, renuncian a la exactitud, a la justeza, a la información propia de unos vocablos, si un comodín los libera del esfuerzo de buscar en el gran archivo del idioma y, claro es, de haberse tomado el trabajo previo de ahondar en él. A ello se debe el triunfo analfabeto de tema para designar cualquier cosa, y de iniciar para todas las acciones que significan "dar comienzo" o de finalizar para las contrarias. Sé que es inútil clamar: quienes pueden hacer algo por remediarlo suelen pertenecer a ese censo entre haragán y maula».

La lista de los verbos «abductores» no tiene punto final y si lo tiene cada vez está más lejos. De todos ellos hay tres cuya fuerza eliminatoria de sus sinónimos pone los pelos de punta al que escribe estas líneas. La repetición de los verbos contemplar, realizar y finalizar llega a tales extremos que parece que en español no se pueda observar, plantear, mirar, etc., tampoco se puede hacer, ejecutar, cumplir, efectuar, etc., ni terminar, acabar, concluir, finar, etc., sólo se puede contemplar, realizar o finalizar. Pero la caterva de verbos abductores es nutrida; ahí van algunos de sus componentes más conspicuos: comenzar, diferenciar, profundizar, visionar, etc. Quiero, empero, hacer una referencia especial a un verbo que, con profunda y propia significación en lo jurídico, se está transformando en abductor con lamentable perjuicio para la claridad y la precisión. Me refiero al verbo asumir. En Derecho asumir equivale a hacer propia una obligación, un deber, un cargo u oficio público o privado; no equivale a opinión o criterio del que lo manifiesta. Por este rechazable camino, fruto de la influencia extranjerizante del inglés, el verbo asumir está abduciendo en tan inapropiado terreno como el jurídico a otros como manifestar, opinar, creer, etcétera.

La plaga de los términos abductores va más allá de los verbos. Hay también sustantivos abductores; quizá el rey de todos ellos, y el vigor de su reinado es tal que con su mención exclusiva basta, es el sustantivo abductor tema[33]. Nada le resiste, el tema va y viene, se pasea enseñoreándose de cualquier escrito jurídico, domeñando hasta su desaparición casi total del mapa

---

33. El MARQUÉS DE TAMARÓN ha dedicado un jugoso y desternillante artículo al «tema» bajo el título «Todo tema es postema» en «El guirigay...», op. cit., páginas 36 y siguientes. Como tantas veces el defecto viene de fuera, el lenguaje jurídico, rotas muchas de sus barreras, acepta lo malo que el común le entrega. En efecto, Fernando LÁZARO CARRETER, El dardo en la palabra, Galaxia Gutemberg, Círculo de Lectores, Barcelona, 1997, página 185, escribió ya en 1981 que: «Desde hace dos o tres años, padecemos en España –ignoro si también en América– la tonta, pero supongo que invencible agresión de un uso dislocado y superfetatorio de tema. Un ejemplo ayudará a comprenderlo. Me interesaba yo hace poco con un director general por una subvención solicitada para una determinada sociedad científica, y su respuesta, generosa, fue de ese tenor: "No se preocupe: mañana mismo pondré en marcha el tema", ni era él el inventor de uso tan aberrante, ni, por supuesto, constituía un caso aislado. Porque ese mismo día en un gran rotativo nacional, y sólo en tres medias columnas, pude contar hasta cinco empleos disparatados del mismo vocablo».
Como, por su parte, nos ilustra Gregorio SALVADOR, Lengua española y lenguas de España, Ariel, Barcelona, 1987, página 72: «En cualquier caso, afortunadamente creo, yo todavía no confundo los temas con los asuntos, como empieza a ser norma de uso lingüístico entre periodistas, locutores, políticos y gentes públicas de toda laya, incluido algún que otro llamado intelectual, es decir, no confundo, como el castellano nunca había confundido, las cosas que ocurren o que se hacen o que se representan, es decir, los asuntos, y el discurso sobre esas cosas, lo que de ellas se dice o se cuenta o el modo intermediario de ofrecerlas, es decir, los temas».

a potenciales sinónimos de tanta carga expresiva como asunto, cuestión, materia, problema, punto y otros más que no corresponde traer a colación. No muy a la zaga le sigue el también sustantivo abductor evento: «Ya no hay conferencias, congresos, actuaciones, acontecimientos, seminarios, fiestas, actos, coloquios, competiciones... Ya sólo hay eventos»[34]. Tampoco es olvidable el sustantivo filosofía que, achicado en su honda y esencial significación, es humillado hasta lo indecible[35].

Tampoco los adverbios y los adjetivos se han salvado de la marea abductora. A los adverbios obviamente, evidentemente y adicionalmente no hay quien los pare y se introducen por todos los poros del lenguaje jurídico. Digamos lo mismo de adjetivos como relevante, brillante, trascendental, congruente y positivo, por no citar más que ejemplos contados de adverbios y adjetivos que parecen –perdóneseme tal expresión– los reyes del mambo del lenguaje jurídico.

Debemos observar con horror que algunas olas de la marea abductora comienzan a entregarnos –quien escribe lo ha oído ya a juristas y lo ha leído en escritos jurídicos– un polimorfismo o palabra constituida por más de un morfema que causa furor sobre todo en el lenguaje común de las generaciones jóvenes. Se trata del término «super». Reparen ustedes en que para nuestros jóvenes y para algunos que lo son algo no es muy bonito, muy caro, o muy apetecible, es, por el contrario, superbonito, supercaro, superapetecible. Lo tremendo es que ya se oye o se lee a algún jurista que un problema es supercomplicado o supercomplejo en lugar de muy complicado o muy complejo o cualquiera de las variantes léxicas que nuestro idioma permite para tal afirmación.

Por último, a esta gran variedad de fórmulas abductoras se suman las construcciones compuestas abductoras. Un solo ejemplo para no aburrir demasiado: en sede parlamentaria se va entronizando tanto en el lenguaje jurí-

---

34. A. GRIJELMO GARCÍA, Críticas con humor sobre el idioma y el Diccionario, Aguilar, Madrid, 2004, página 181.
35. R. CARNICER, «La desidia...», op. cit., página 81, relata este significativo hecho: «Una cadena norteamericana de restaurantes dedicados a la preparación y servicio directo de hamburguesas, presentándose a sí misma como la más importante del mundo, con más de seis mil establecimientos en los cinco continentes, acaba de anunciar su pronta instalación en España "con la misma filosofía y organización que la ha hecho triunfar en los más importantes mercados mundiales" y resume así los componentes de su éxito y, por tanto, su filosofía: "calidad a ultranza, servicio en el menor tiempo posible, grandes dotes de cortesía, una extraordinaria limpieza e higiene, atención preferente a la familia y una particular dedicación a los niños. Todo ello con una excelente relación calidad-precio"». ¡Si levantaran la cabeza tantos desde SÓCRATES y presocráticos hasta HEIDEGGER y UNAMUNO para concluir con los filósofos en vida!

dico impulsado por el reduccionismo expresivo procedente de la política que amenaza con barrer a los sustantivos Parlamento, Congreso de los Diputados, Senado, institución parlamentaria y así un largo etcétera[36].

En apretadas palabras, la repetición absorbente de un mismo término o construcción gramatical configura una vía que conduce a la temible falta de matiz y precisión, elementos consustanciales de lo jurídico. De ahí la importancia de evitar este mal que el lenguaje común transmite al jurídico.

2'. Las muletillas

Para mantener el empobrecimiento lingüístico imperante al margen de la expresión jurídica escrita o verbal debemos luchar contra las muletillas o palabras o composiciones de ellas que se repiten y son superfluas para el desarrollo de lo que se expone[37]. Como escribe CASSANY: «Pienso que se pueden utilizar de entrada en función de llenar vacíos, a raíz de estimular una frase coja –y también, evidentemente, en base a la moda verbal del momento–, pero en cualquier caso se abusa de ellos sin motivo en el acto de repetirlas»[38].

El lenguaje jurídico sufre los estragos de la sobreabundancia de muletillas. Nos asaltan con saña merecedora de mejor empeño en todo tipo de instrumentos jurídicos cual riada de composiciones reproducidas hasta el hartazgo empobrecedor y contraproducente. Al defecto de la reiteración que machaca se une en ocasiones la incorrección gramatical y semántica, mezcla ésta explosiva. Ahí van algunos ejemplos que, seguro, no resultan ajenos a más de un jurista: en base a, en definitiva, en cualquier caso, a nivel de, de cara a, es evidente, por ende... en fin, ¿para qué continuar con el lacerante traqueteo de muletillas tan común en el lenguaje jurídico de nuestros días?

Parecido a la muletilla es el sonsonete o composición verbal repetida y desfigurativa del pensamiento que se quiera transmitir. Su hábitat más fre-

---

36. En este punto el maestro F. LÁZARO CARRETER, «En sede parlamentaria», El País, domingo, 3 de septiembre de 2000, página 13, ya detectó la suerte que esperaba a esta construcción compuesta abductora.
37. R. CARNICER, «Desidia...», op. cit., página 47, escribe sobre las muletillas «o sea», «digamos» y «concretamente».
   Amando DE MIGUEL, «La perversión del lenguaje», Espasa Calpe, Madrid, 1985, página 109, nos dice: «Entiendo por muletillas las palabras o expresiones cortas que se repiten en demasía, tanto que llegan a perder todo su sentido, si es que pretenden acarrear alguno. Se denominan así porque son como bastones o andaderas para sostenerse en los difíciles escarceos de la conversación o del monólogo. Lo peor es cuando pasan al lenguaje escrito. Contribuyen a la insignificancia y al tedio de largas parrafadas que quieren pasar por ingeniosas».
38. D. CASSANY, «La cocina...», op. cit., página 145.

cuente es el político, mas ya está muy enraizado en el jurídico con efectos negativos para la estética y claridad del lenguaje de los juristas. La palma de los sonsonetes se la lleva la fórmula «yo diría...»[39].

3'. Los tics personales

Todos los tenemos, el jurista como uno más de los que escriben o hablan. Empobrecen cualquier forma de expresión, pero se manifiestan con mayor gravedad en el jurista, que debe hacer de la variedad léxica una de las herramientas de su trabajo. Me refiero a los llamados tics personales. Son locuciones de todo tipo, que, sin ser de uso general, se enraízan en una persona hasta constituir un elemento recurrente de su modo de expresión. Sólo constituyen tics personales cuando llegan a formar parte de la singularidad léxica de una persona y cuando ésta hace uso de ellos con reiteración. En cuanto a sus características, «son personales, imprevisibles, a menudo inconscientes y, a veces, difíciles de detectar». Por lo que atañe a sus consecuencias, «envaran la prosa con repeticiones y reducen la variación léxica a mínimos escolares. La prosa resulta monótona e insulsa»[40]. Lo que les concede la condición de tics personales es la manera singular y personal como aparecen en el padecedor de tales estigmas del buen hablar y escribir jurídicos.

CASSANY alude a alguna de las formas en que se concretan los tics personales[41]. Así:

- repetición de una palabra o expresión (vocablos genéricos, comodines, conjunciones, adverbios...).

- abuso de alguna estructura sintáctica: gerundios antepuestos, frases comparativas, subordinadas, profusión de adverbios o de adjetivos...

- despliegue de estructuras calcadas en párrafos y textos: empezar con el mismo vocablo o expresión..., cerrar siempre los párrafos con la misma frase, etcétera.

- usos poco corrientes o personales de puntuación: exceso de incisos con paréntesis o guiones, uso frecuente y muy por encima de lo normal de los dos puntos y del punto y coma, abuso de notas, asteriscos, etcétera.

Estos ejemplos de tics personales pueden dar pie a deficiencias de la forma de expresión jurídica en cualquiera de sus variantes. La importancia

---

39. Escribe sobre el particular R. CARNICER, «Desidia...», op. cit., páginas 101 y siguientes.
40. D. CASSANY, «La cocina...», op. cit., página 132.
41. D. CASSANY, «La cocina...», op. cit., página 132.

negativa que concedemos a la presencia de las muletillas y los tics personales en el lenguaje jurídico no estriba únicamente en que sean enemigos acérrimos de la elegancia de la expresión. Enturbian la claridad y la capacidad transmisiva, atentan contra la sencillez, perjudican el fluir accesible de toda exposición y son eficaces aliados del empobrecimiento expresivo que mata el matiz y la precisión del Derecho. Al final, son enemigos de la transparencia de lo jurídico que tanto demanda la sociedad contemporánea.

4'. Las exageraciones

El lenguaje jurídico preciso y matizado que postulamos es intransigente con las exageraciones. La precisión y la concisión se compadecen mal con la exageración como pauta expresiva normal; sólo la admite en supuestos excepcionales y justificados con suficiencia.

El lenguaje jurídico debe ser equilibrado, además de matizado y conciso. En él debe reflejarse con fuerza estos oráculos grabados en el templo de Delfos dedicado al dios Apolo y revelados a través de la sacerdotisa Pitia: «nada en demasía» y «lo mejor es la medida». Las exageraciones representan dinamita para el equilibrio en la palabra o en las letras jurídicas y como tales son irrecomendables para ellas. Sin embargo, no hay que excluirlas por entero. En oportunidades excepcionales y muy justificadas pueden ser necesarias o convenientes, pero hágase un uso de ellas moderado, restringido y, en caso de duda, déjense de lado.

5'. Los reduccionismos expresivos

a' El maestro LÁZARO CARRETER se refirió «al machaqueo con que hoy se tunde el sistema de nuestras viejas preposiciones»[42]

En la misma línea, escribe lo siguiente y pone un ejemplo que reproduzco íntegramente por su continuo uso y graciosa sabiduría con la que lo aborda: «La manipulación de las preposiciones constituye hoy un deporte muy generalizado, con consecuencias sintácticas notables. ¿A quién no le ha ocurrido llamar a alguien importante por teléfono, y que le salga al paso su secretaria con un "Está reunido", en vez de en una reunión? El dicho y el

---

42. Vid. su artículo «Babel», El País, domingo, 7 de mayo de 2000, página 15. Señala con más detalle: «Es uso que responde al machaqueo con que hoy se tunde el sistema de nuestras viejas preposiciones. En este caso, se da un empellón a *para* y se mete *en aras de*; igualmente que, lo he dicho muchas veces, por *la vía de* suple a mediante, a través de jubila a *por* ("entraron *a través* de una ventana"), *a* se sustituye por *sobre* en el lenguaje del fútbol ("el árbitro pita falta *sobre* Sergi", lo cual sugiere la insidiosa sospecha acerca de qué estaría haciendo ese señor encima de Sergi); este *sobre* aquí excedente se escamotea a favor de *en torno a* ("habrá conversaciones *en torno* a la pesca"); y multitud de casos más, a los que debe sumarse el andrajo *en aras de*».

hecho juntos causan hinchamiento de narices, por la certidumbre de que es infame subterfugio para no contestar a nadie ("¡Pero a nadie, sabes, Pepita, a nadie!"). La colerina es sólo comparable a la promovida por la ausencia de aquel que buscas en su oficina y "está desayunando"; mira uno el reloj, son las doce, y reniega de que existan gentes tan bohemias.

Aunque irrite, debe comprenderse, sin embargo, que algún obstáculo deben interponer algunas personas cuando están trabajando, para protegerse del asalto telefónico que corta a veces un discernimiento, saca de las casillas e inunda el cuerpo de adrenalina. Contestar que el solicitado no está, lo desprestigiaría porque debía estar. En cambio, el está reunido enriquece al demandado con un plus de importancia: los cualesquiera no se reúnen.

Lo oímos tanto ya, que no choca. Y, sin embargo, es un sinsentido idiomático de buen tamaño, porque reunir significa "juntar" o "congregar", lo cual exige que lo reunido sea múltiple, en modo alguno único»[43].

b' También dentro del pernicioso capítulo de los reduccionismos se sitúa la creciente tendencia del lenguaje común, que empieza ya a tocar el campo de lo jurídico, de omitir el artículo exigido en ciertas expresiones[44].

c' Por fin, no puedo omitir una referencia a un mal de la familia de los reduccionismos expresivos, que, por desgracia, va tomando creciente cuerpo en el lenguaje jurídico.

Se trata de privar de la transitividad o carácter transitivo a ciertos verbos que lo tienen por los genes de nuestra lengua. El ejemplo más corriente, muy anclado ya en la palabra y la letra jurídicas, concierne al verbo «aplicar». En muchas de sus variedades, éste aparece con forma transitiva, pero, fundamentalmente por influencia del anglo-americano «to aply», se le priva de ella. ¿Cuántas veces tenemos que soportar hoy: en tal supuesto, aplica esta norma, en vez de en tal supuesto se aplica esta norma?

6'. El idiotismo toponómico

Nos guste o no las denominaciones toponímicas en castellano tienen su

---

43. F. LÁZARO CARRETER, «En repulsa», El País, domingo 5 de marzo de 2000, página 15.
44. Expone F. LÁZARO CARRETER, «En sede parlamentaria»: «En cierta y creciente tendencia a la omisión del artículo, normal en casos como estar en casa, en cama, en "boxes", en clase, en comisaría, en misa, en capilla, etcétera. Pero tal ausencia repelería en nombre de instituciones: "el asunto se juzgará en Audiencia Nacional", "se celebraron las exequias en Catedral", "pasa las tardes en Ateneo", "trabajo en Biblioteca Nacional", etcétera. Es cierto que la falta de artículo ha cuajado en algunos raros casos, como "jugar en Bolsa", pero también aquí se da el rasgo de habla gremial, es decir, como connotación de familiaridad con los vaivenes del Ibex».
En este mismo sentido vid. El arte de hablar J. A. HERNÁNDEZ GUERRERO y M.ª del C. GARCÍA TEJERA, Ariel, Barcelona, 3.ª edición, 2008, pág. 197.

dicción, que no puede, salvo que se distorsione el espíritu y las reglas ortográficas de nuestra lengua, verse suplantada por la equivalente en la lengua de origen.

Sin embargo, después de la, en su momento, polémica inclusión de los topónimos A Coruña y Lleida en la grafía castellana[45], tiende a engordar la tendencia que llamo idiotismo toponómico, no solamente impulsado por la presión del resto de las lenguas oficiales españolas, sino principalmente por la fuerza imparable del angloamericano, que encuentra acogedor refugio en la cursilería pretensiosa de algunos. Como señaló acertadamente el entonces director de la Real Academia Víctor GARCÍA DE LA CONCHA: «Las Cortes pueden decir cuál es la denominación oficial de un lugar en un documento oficial pero no pueden decir que eso sea castellano»[46].

7′. La imprecisión de conceptos jurídicos de ida y vuelta

Una nueva deficiencia se asoma al lenguaje jurídico. Como este es una especie del común, los vasos comunicantes entre uno y otro son numerosos. Se sitúa, por tanto, entre lo corriente el fenómeno de la incorporación de términos jurídicos al lenguaje común o general. Una vez incorporados a éste, adquieren las características propias del lenguaje común y se revisten de significación normalmente alejada de las exigencias de la precisión y el matiz tan propios de la expresión jurídica.

Hasta aquí todo es normal. La deficiencia comienza cuando el jurista incorpora estos conceptos vulgarizados a su lenguaje con el acarreo de imprecisión y trazo grueso que tal proceder entraña.

Pongo dos ejemplos, pero serían traíbles muchos más. Me topo con desazonante frecuencia en documentos jurídicos de todo tipo la utilización en su sentido vulgar e impreciso del concepto aval, relegando el jurídico preciso de la correspondiente modalidad del género de los contratos de garantía.

---

45. Reflejo de la polémica son, entre otros, las Terceras de ABC del 2 de febrero y del 5 de mayo de 2000.
    A. GRIJELMO GARCÍA se ha referido recientemente a tal polémica en su artículo «El catalán de don Quijote», El País, domingo, 13 de octubre de 2013, página 12 de la sección «Opinión».

46. Declaraciones de Víctor GARCÍA DE LA CONCHA recogidas en el ABC del 25 de abril de 2000, página 54. No me resisto a recoger la siguiente anécdota que recordó en el marco de estas declaraciones: «"Cuenta Suetonio que en cierta ocasión Augusto habló y utilizó una palabra, un término que, a juicio de un gramático no era del latín correcto. Y un adulador, de los que nunca faltan junto al poder, de nombre Capitón, le espetó al gramático: "Desde este momento, aunque la palabra que ha utilizado el César no es del latín, pasa a serlo porque la ha utilizado el César". El gramático le reprende: "Mientes, Capitón, mientes. César puede conceder la ciudadanía a las personas pero no puede conceder la ciudadanía a las palabras"».

He aquí el segundo ejemplo. Lo expongo de la mano del pensador y catedrático de filosofía política y social Daniel INNERARITY. Señala con tino este autor poniendo de relieve la deficiencia del lenguaje jurídico actual que apunto: «Se ha instalado en el lenguaje corriente el término "complicidad", que siempre había indicado conspiración, colaboración, intriga o encubrimiento para cometer un delito, como una palabra inocente que alude a una simpática camaradería»[47].

Pues bien, por mucho que escandalice al buen jurista, empieza a dejarse ver por páginas jurídicas el concepto de complicidad revestido de «simpática camaradería» frente al preciso y técnico-jurídico de grado de participación en la comisión de infracciones de naturaleza penal.

He aquí dos de las muchas imprecisiones en conceptos jurídicos que he llamado de ida –del lenguaje jurídico al común–, y de vuelta –del lenguaje común al jurídico–.

4. HACIA UN LENGUAJE JURÍDICO CARENTE DE EXTRANJERISMOS

a. Los extranjerismos o barbarismos

El esplendor de la cultura de Atenas llegaba hasta Turquía, cuajada de colonias atenienses. Una de ellas era la de Soloi. A pesar de la cultura griega que empapaba a esta colonia el griego que allí se hablaba estaba cuajado de influencias de las lenguas no griegas habladas en el entorno. Los de Soloi hacían mal uso del griego por esta causa y a las incorrecciones en que incurrían los griegos bienhablantes las llamaron «soloikismos». Tras generalizarse este concepto y llegar a nosotros merced al latín como en tantas otras ocasiones, hoy hablamos en español de solecismos.

El solecismo como concepto lingüístico engloba manifestaciones incorrectas en el hablar y en el escribir de muy distinto cuño. Entre ellas mencionaremos las burdas incorrecciones de las reglas sintácticas o lingüísticas en general, las construcciones incongruentes o inconcordantes, y los barbaris-

---

47. D. INNERARITY, *Un mundo de todos y de nadie*, Paidós, Barcelona, Buenos Aires, México, 2013, página 182.

El presidente de la Real Academia de Jurisprudencia y Legislación, Luis Díaz Picazo, me brinda un concepto jurídico acogido por el lenguaje común con sentido distinto al que tiene en el jurídico. Me refiero a mandatario. Este es, según el párrafo primero del artículo 1718 del Código Civil, quien «queda obligado por la aceptación a cumplir el mandato», es el «mandado», si se me permite la expresión. Por el contrario, en el lenguaje común el mandatario es quien manda, quien ostenta el poder, generalmente una autoridad política de máximo rango.

mos en la expresión, extremos de los que me ocuparé desde un punto de vista de la corrección del lenguaje jurídico en apartado posterior.

Forma parte también de la densa y desaconsejable tropa de los solecismos una modalidad que gana terreno día a día en el campo jurídico. Se trata de los extranjerismos, también llamados barbarismos, que nacen sin razón lingüística suficiente y que fomentan, entre otras cosas malas, la imprecisión[48].

Los extranjerismos no se contentan con deambular por el lenguaje común cada vez con más holgura y desenfado y de ahí pasar al lenguaje jurídico[49]. Es tal su fuerza que se atreven sin freno a penetrar directamente en el camino de este último.

Una tupida niebla baja desorienta a ciertos juristas españoles. La presión del Derecho comunitario, paso a paso construido más sobre base anglosajona y no napoleónico-continental, y la directa del Derecho anglosajón impelido por la poderosa mano del gigante norteamericano[50], les hacen ver insuficiencias en el lenguaje jurídico existente donde sólo hay necesidad de meras adaptaciones o, sea dicho con claridad, del esfuerzo intelectual de buscar el concepto jurídico tradicional y generalmente admitido para volcar allí lo comunitario o anglosajón necesitado de traducción. Pero esto requiere esfuerzo sin relumbrón y resulta «más brillante» el rompedor extranjerismo[51].

---

48. Como escribiera el admirable maestro Santiago RAMÓN Y CAJAL, El mundo visto a los ochenta años, en Obras Selectas, Espasa Calpe, Austral Summa, Madrid, 2000, página 709: «Compartiendo el dictamen de los buenos hablistas, censuro solamente el empleo de extranjerismos inútiles y a menudo anfibológicos».
Amando DE MIGUEL escribe en este sentido, La lengua viva, La Esfera de los libros, Madrid, 2005, página 85: «A los hablantes de una lengua los extranjeros siempre les han parecido "bárbaros", esto es, los que hablan bar-bar o chau-chau. Pero los idiomas se fecundan entre ellos. Hay que rechazar los barbarismos inútiles, pero sin menospreciar la fecundación que digo».
49. Un clamoroso ejemplo de esto: con horror observo que la Sentencia de la Sala Primera del Tribunal Supremo de 25 de febrero de 2011 (RJ 2011, 2484) utiliza en sus fundamentos de Derecho primero, segundo y tercero el término ¡top-less!, aunque con el velo de la bastardilla para disimular tamaño extranjerismo.
50. Señala J. J. TOHARIA CORTÉS, «Las profesiones...», op. cit., páginas 1 y 2: «Se está generalizando la subsidiación e interpenetración entre los distintos sistemas jurídicos. ALLEN (1939) sigue teniendo razón –quizá más que nunca-: en el ámbito de lo jurídico, no tiene mucho sentido plantear cuestiones de pureza de sangre. Más bien, la convergencia, el intercambio y el mestizaje han tendido a ser generalmente la regla en el mundo del Derecho actual».
Le Monde del día 4 de junio de 2013, página 17, publicó una entrevista al filósofo Luc FERRY y al Académico Jean-Marie RUART. En ella FERRY reconoce que: «Detrás del predominio del anglo-americano se sitúa que la cultura contemporánea ha llegado a ser, en lo esencial, una cultura científica y comercial. Y he aquí que en este campo, el anglo-americano es dominante».
51. Como indica el profesor OLIVENCIA, Letras y Letrados, op. cit., página 168: «Quiero

La guerra contra los extranjerismos en el lenguaje jurídico que propongo no es siempre fácil; mejor dicho, día a día se convierte en más difícil. La avalancha de normativa fruto de la incorporación a nuestro Derecho de las reglas comunitarias no pone las cosas fáciles. Lo grita bien a las claras la aparición en el encabezamiento de ciertos textos legales de preceptos cuya única función consiste en explicar lo que significan determinados conceptos, por el peligro de que no sean entendidos si para ello se confía sólo con el acervo conceptual y categorial existente hasta entonces.

No obstante, hemos de desplegar los mayores esfuerzos para evitar este pernicioso fenómeno cuando sea posible y luchar porque, al menos, quede reducido a la menor presencia.

Lo que postulo con respecto a los extranjerismos no es un prurito estético o de belleza de la expresión jurídica. Es una necesidad fundada en la defensa de que el lenguaje jurídico cumpla su cometido lo mejor posible y de que satisfaga los reclamos de transparencia y publicidad que le llegan en los tiempos que nos toca vivir.

Así es, el extranjerismo deforma el lenguaje jurídico y desnorta su uso entre los propios juristas, pues le priva de todos los matices y precisiones que se cobijan en los conceptos engarzados dentro de una larga tradición. Pero, y por si esto fuera poco, el entreveramiento de extranjerismos aleja con ímpetu al lenguaje de los juristas del común, lo hace menos entendible y aún más inaccesible, lo cual, al cabo, va con firmeza en contra de lo que la sociedad contemporánea demanda a la forma de expresarse de las personas consagradas al cultivo del Derecho.

b. Las barbaridades

No debe confundirse el extranjerismo, también llamado barbarismo por algunos, con lo que Francisco AYALA llama mera barbaridad[52]. Como he es-

---

denunciar también, en este diagnóstico apresurado, junto al vicio del arcaísmo, el opuesto del neologismo, enfermedad ésta que se agrava en nuestros tiempos y que está corrompiendo un idioma tan rico y de tanta tradición jurídica como es el español. La internacionalización creciente de las relaciones jurídicas, progresivamente impulsada por las facilidades técnicas de las comunicaciones, el protagonismo de los países anglosajones en el campo de los negocios y la expansión del idioma inglés como lenguaje universal en la política y en la economía, en las ciencias y en la técnica, son factores que están infiltrando términos nuevos en detrimento de la pureza de una lengua en la que muchos pueblos, durante siglos, han pensado, escrito, leído e interpretado el Derecho. La novedad y el origen de los conceptos no siempre explican ni justifican este fenómeno, bajo el que muchas veces aparecen como causas la ignorancia, la pereza o el culto por la moda –y nótese que no digo el "esnobismo" por no incurrir en el vicio que denuncio–».

52. F. AYALA GARCÍA-DUARTE, *Palabras y letras*, Edhasa, Madrid, 1983, página 35.

crito en otro lugar, la mera barbaridad «consiste en la pronunciación incorrecta de las palabras o el empleo indebido de vocablos que producen efectos
devastadores»[53]. Por desgracia, comienza a adentrarse en ciertos sectores jurídicos con insidia pertinaz y bajo el disfraz de popular y falso progresismo el
culto al feísmo léxico y al peor plebeyismo expresivo de los que son muestra
la llamada mera barbaridad. Hemos de prestar los juristas atención a esta
amenaza no sólo por razones estéticas y de la exigible compostura, sino por
exigencias de la función de lo jurídico concretadas en la seguridad jurídica
y la equidad entendida como aplicación de la justicia al caso concreto.

5. HACIA UN LENGUAJE JURÍDICO CON LATINISMOS EN PRUDENTE ME-
DIDA, NO CON LATINAJOS

El Derecho, tanto en su versión continental o napoleónica como en la
anglosajona, hunde sus raíces y se nutre del Derecho Romano en general y
del lenguaje jurídico-romano en particular.

Por eso, sin caer en exageraciones desmedidas, el empleo de latinismos
aporta jugosidad al lenguaje jurídico actual y es una de las características
que, dentro del tronco lingüístico común, lo singulariza.

Pero una cosa es la utilización medida y prudente de latinismos, y otro
la incorrecta y bárbara de los que llamo latinajos.

Perturba observar cómo en el lenguaje jurídico actual los latinajos se
abren camino de modo intolerable. Afea y desmerece el lenguaje jurídico al
que debemos aspirar toparse con el latín patricio incorrectamente utilizado.
Si lo siguiente es lamentable en el seno del lenguaje común, lo es mucho
más en el especializado jurídico: «Cuando uno observa como personas de
todos los niveles dicen y escriben, por ejemplo "contra natura" –sin una m
al final–, "urbi et orbe" –cambiando la i final por una e–, "manu militare"
–insistiendo en el mismo error–, "mutatis mutandi" –comiéndose la ese final–..., se sonroja y ruega que, si no se estudia latín, se lo olvide al menos
del todo. Hablar y escribir en latín no es obligatorio, pero, de hacerlo, lo
decoroso es hacerlo bien»[54].

---

53. Ejemplos de estos vocablos plasmé en La oratoria parlamentaria, Espasa Calpe, colección Austral, Madrid, 1985, página 103.
    Es sorprendente la tendencia a las barbaridades lingüísticas que pueden acabar ame-
nazando al lenguaje jurídico. Nada menos y nada más que en el acto de clausura del
XII master de periodismo de El Mundo se hizo uso del verbo "¡reportajear!" vid. El
Mundo, 8 de julio de 2013, página 78.
54. A. LÓPEZ QUINTÁS, «Las ventajas de saber griego y latín», Tercera del ABC, correspondiente al 1 de julio de 2013.
    En todo caso, no podemos olvidar que, como señalan Mª DO CARMO HENRÍQUEZ y E. DE
No, Historia del léxico jurídico, Civitas Thomson Reuters, Cizur Menor (Navarra),

6. HACIA UN LENGUAJE JURÍDICO MENOS OFICINESCO

El postulado consistente en que el lenguaje jurídico sea menos oficinesco podría encajarse dentro de lo escrito páginas atrás en punto al lenguaje jurídico conciso y los modismos como uno de los lastres que lo traban.

He preferido, a pesar de ello, consagrar un apartado específico a la postulación de un lenguaje jurídico, tanto oral como escrito, menos oficinesco por la intensa huella que los modismos oficinescos dejan en aquél y por la perniciosa tendencia que hay que romper identificadora del hablar y escribir jurídicos con la jerga oficinesca.

Alex GRIJELMO es un ilustrado periodista que está llevando a cabo una destacada labor en pro del hablar y escribir correctos y acordes con lo que él denomina el genio de nuestro idioma[55]. Escribe GRIJELMO con relación al lenguaje oficinesco y sus modismos algo que hemos de desterrar de la expresión del jurista: «El lenguaje de la oficina –y el lenguaje de la Administración, por supuesto– ha consagrado expresiones como "el mismo", "dicho asunto", "el anteriormente citado"... que no tienen nada que ver con el estilo eficaz del periodista y sólo sirven para estirar las frases»[56].

Cambiemos la alusión al periodista por al jurista. Con ello queda todo dicho en este punto.

7. HACIA UN LENGUAJE JURÍDICO MÁS RESPETUOSO CON LAS REGLAS DEL HABLAR Y ESCRIBIR CORRECTAMENTE[57]

a. Introducción

Puede chocar un apartado independiente con el encabezamiento «hacia un lenguaje jurídico más respetuoso con las reglas del hablar y escribir co-

---

2010, página 97: «Las voces y locuciones latinas son piezas claves muy válidas para conseguir la precisión, la concisión».

55. «¿Quién es el genio del idioma?» –se pregunta Alex GRIJELMO GARCÍA, El genio del idioma, Taurus, Madrid, 2004, página 250–, para contestarse así: «El genio del idioma lo formamos todos los hablantes de nuestra lengua que hemos pisado la Tierra desde que este idioma nació, y aún recibimos la herencia de cuantas culturas nos cobijaron y nos agrandaron, y nos dieron la amplitud de miras necesaria para seguir creciendo con aportaciones nuevas que se irán amoldando a nuestro carácter, a la forma de ser que nos ha dado la historia como hispanohablantes, por encima de razas y de naciones pero apegada a una cultura que nos ha formado. Una cultura mestiza y auténtica a la vez, respetuosa de sus vecinos y dispuesta a relacionarse con ellos y a aprender de sus adelantos sin ser ellos ni sentirse inferior a ellos».

56. A. GRIJELMO GARCÍA, El estilo del periodista, Taurus, Madrid, 1997, páginas 391 y 392.

57. Una referencia completa a las reglas correctas del lenguaje jurídico puede hallarse en J. MARTÍN MARTÍN, Normas del uso del lenguaje jurídico, Comares, Granada, 1991.

rrectamente». Parece excluir de la corrección en el hablar y escribir jurídicos todo lo expuesto hasta aquí.

No se entienda así el epígrafe que comienza. Las consideraciones esgrimidas con antelación sí forman parte del correcto lenguaje jurídico. Pero han merecido un tratamiento singular por su significación especial. En el epígrafe que inauguran estas líneas agrupo ciertas deficiencias, de tono menor si cabe, que es preciso subsanar en pro del lenguaje jurídico correcto.

Como es lógico, el método que nos acompaña en este momento no es el de repasar todas y cada una de las reglas del correcto hablar y escribir jurídicos que no han tenido albergue en apartados precedentes del trabajo. El afán que nos guía es más limitado: espigaré aquellos escollos más importantes todavía no abordados que entorpecen el buen lenguaje jurídico oral o escrito[58].

b. Deficiencias en particular

1'. Introducción

Adelantemos un concepto de alcance general en el que quedan englobadas muchas deficiencias que hay que atajar en el lenguaje jurídico.

Declaremos los juristas la guerra a los solecismos. Líneas atrás nos referimos a una de sus principales manifestaciones, el extranjerismo o barbarismo. Pero la mancha negra que los solecismos suponen para el lenguaje jurídico se extiende más allá. En cualquier escrito y en cualquier intervención oral pueden rechinar faltas de concordancia o concordancias erróneas, incongruencias con el propio contenido del instrumento de que se trate, y no digamos nada del mero transplante de construcciones sintácticas procedentes de otras lenguas, como los muy comunes «es por ello que» y «por contra», reproducciones directas de expresiones francesas.

---

58. El magistrado J. BAYO DELGADO, «El lenguaje forense. Estructura y estilo», en Lenguaje forense, op. cit., páginas 35 y siguientes, se refiere también al uso del futuro de subjuntivo, al uso del pretérito imperfecto de subjuntivo, al uso de la pasiva y la pasiva refleja con complemento agente, al uso de «cuyo», al uso de «el mismo», a la omisión del artículo y a ciertas incorrecciones léxicas de presencia frecuente («peticionar», «debo de», «presunto», «se halla en ser», «en función de», «uso y disfrute» y «suplica, suplicar»).
El libro de estilo GARRIGUES, op. cit., páginas 79 y siguientes, entre los defectos y dudas más comunes se refiere a: el dequeísmo y el queísmo, el verbo deber con la preposición de, el leísmo, laísmo y loísmo y el abuso del posesivo.
Recojo en mi libro «La oratoria...», op. cit., páginas 144 y siguientes una relación pormenorizada, aunque «sin el menor propósito de agotar la materia», de ejemplos de «neologismos, tecnicismos, extranjerismos o barbarismos, vicios léxicos y sintácticos, modismos y manifestaciones de pedantería y nebulosa mental o pereza léxica».

Aunque todas estas deficiencias y las demás atentatorias contra las reglas de la buena sintaxis del español constituyen una afrenta a la exactitud y la pureza de nuestro idioma en general, en el lenguaje jurídico los solecismos atentan muy incisivamente contra la precisión y el matiz que hay que exigir a éste.

Paso a exponer algunas de las deficiencias sintácticas más detestables en lo jurídico.

2'. Los gerundios invasores

Una de las incorrecciones más extendidas en el lenguaje jurídico actual, tanto en su versión escrita como en la oral, radica en el uso erróneo del gerundio, por un lado, y en su uso inadecuado, por otro[59]. El gerundio constituye una forma verbal que campea con enorme poderío por los anchos espacios del lenguaje jurídico. «Sin duda –señala el magistrado Joaquín Bayo–, el gran protagonista, el "cemento" que todo lo une en el lenguaje del foro es el gerundio, del que se hace uso y tremendo abuso»[60].

El llamado gerundio copulativo nos invade por doquier. Al menor descuido aparece sin desmayo para vulnerar burdamente las reglas gramaticales más elementales que muchos aprendimos en los libros de gramática del viejo bachillerato, aunque a ciencia cierta no sabemos si las aprenden ahora las nuevas generaciones.

«El gerundio, a más de expresar la significación del verbo en abstracto, como el infinitivo, envuelve la idea de condición, causa, modo, tiempo y otras circunstancias»[61]. El gerundio, por el contrario, no es forma verbal adecuada para unir oraciones (gerundio copulativo). Tampoco lo es para añadir a la oración escrita o dicha otra que refleje algo acaecido con posterioridad (gerundio de posterioridad); en este sentido afirma con acierto Alex Grijelmo que: «El gerundio modifica el verbo pero con idea de simultaneidad (o, al menos, escasa diferencia temporal entre dos acciones)»[62].

Pero he aquí que el gerundio, sobre todo el copulativo, impone su férrea

---

59. Como escribe A. Hernández Gil, «El lenguaje...», op. cit., página 387: «El gerundio es cómodo, pero difícilmente resulta inevitable. La comodidad de su empleo obedece a que temporaliza de un modo flexible la acción del verbo, que va del pasado al futuro y puede quedar también como latente. Evita la construcción de oraciones de relativo y el empleo de conjunciones y preposiciones».
60. J. Bayo Delgado, «El lenguaje forense...», op. cit., página 56.
61. Lengua Española, op. cit., página 82.
    Como escribe A. Grijelmo García, «El estilo...», op. cit., página 205: «El gerundio funciona en la oración como un adverbio: modifica el verbo. Comprender esto servirá para no caer en muchos errores».
62. A. Grijelmo García, «El estilo...», op. cit., página 205.

ley en el lenguaje jurídico actual, que se rinde a él. Sin embargo, para las situaciones que se resuelven hoy incorrectamente con el gerundio copulativo, la sintaxis nos ofrece algo tan sencillo como la conjunción copulativa «y», a la que el gerundio mal utilizado ha declarado la más cruenta guerra en la que dicha conjunción no cosecha más que derrotas.

Pero, además de su uso incorrecto, el gerundio puede utilizarse de un modo inadecuado en el hablar y en el escribir jurídicos como en cualquier otro. Puede ocurrir que se acuda con corrección sintáctica al gerundio y que, a pesar de ello, tal proceder resulte inadecuado, no incorrecto, en términos de mejor expresión.

En efecto, el gerundio es una forma verbal pesada, inflada, que puede empachar sin dificultad. Como tal recarga la frase, el desarrollo natural y engrasado de la oración, por lo que su excesiva utilización no es, a mi criterio, recomendable.

El lenguaje jurídico padece de un modo acentuado el imperio del gerundio. Los juristas debemos esforzarnos por poner coto a este fenómeno. Lo debemos hacer porque no sólo afea y apelmaza el suave transcurrir de la letra o de las palabras jurídicas; también atenta con incansable insidia contra el matiz y la precisión y, sin ser consciente de ello, su uso inadecuado puede arrastrarnos a expresiones burdas, toscas o incluso absurdas[63]. Como escribe BAYO DELGADO: «No es sólo una cuestión de estilo, que podría quedar compensada por razones jurídicas, sino de precisión, que importa y mucho, en las resoluciones judiciales»[64], algo ampliable a toda intervención jurídica.

No podemos pasar por alto, sin embargo, la existencia de supuestos en los que cabe la duda acerca de la corrección o no del empleo del gerundio; el gerundio tiene zonas fronterizas o limítrofes en su utilización correcta. «Para casos de duda –escribe GRIJELMO–, la solución mejor consiste en suprimir el gerundio y cambiarlo por otra fórmula. Si no tenemos seguridad en el gerundio, dejémoslo y acudamos a otra construcción»[65].

---

63. Afirma J. BAYO DELGADO, «El lenguaje forense...», op. cit., página 56, que: «La imprecisión del gerundio proviene de su condición de forma no personal del verbo, que por tanto no designa por sí mismo su sujeto (1ª, 2ª o 3ª persona, singular o plural) y tiene un campo temporal limitado». Sobre el llamado gerundio del BOE puede consultarse a este mismo autor en «El lenguaje judicial del futuro», ponencia presentada a I Curso de modernización del lenguaje jurídico celebrado en el Centro de Estudios Jurídicos del Ministerio de Justicia, el 22 y 23 de septiembre de 2011, páginas 9 y siguientes.

64. J. BAYO DELGADO, «El lenguaje forense...», op. cit., página 56.

65. A. GRIJELMO GARCÍA, «El estilo...», op. cit., página 207.

3'. El descoyuntamiento del orden sintáctico

No descoyuntemos el orden sintáctico natural de las oraciones.

Como mancha de aceite que avanza por momentos, se aprecia el descoyuntamiento sintáctico que va tomando asiento hoy en los escritos jurídicos[66]. La tendencia es menos apreciable en las intervenciones orales más dadas por su naturaleza a la flexibilidad y al contorno impreciso.

¿Qué quiero decir con descoyuntamiento del orden natural de las oraciones?: la ruptura, el desarbolamiento de la disposición que de manera natural nacida de su sentido corresponde a cada elemento en la composición de una frase. Algo tan liso y llano como que la sucesión de sujeto, verbo, complemento directo, complemento indirecto y complemento circunstancial reine como norma general sólo rota en circunstancias excepcionales y justificadas.

Estas afirmaciones parecen impropias de un trabajo como el que estoy redactando por su elementalidad. Pero, ¡ay!, la situación del lenguaje en general en España y del jurídico en particular reclama el recordatorio de muchas cosas elementales. Si no, échese un vistazo a muchos de los escritos jurídicos actuales y repárese en hasta qué extremo llega a veces el descoyuntamiento sintáctico desfigurador de lo que se quiere transmitir.

Dejemos los juristas los pinitos sintácticos para los literatos y atengámonos a las reglas de la composición sintáctica ortodoxa, garantía de sobriedad y elegancia. Vienen ahora a cuento las siguientes palabras del maestro Joaquín GARRIGUES plenas de tino y tersura: «Al escribir o hablar no buscamos la belleza literaria. No aspiramos a ser oradores ni escritores brillantes. Nos contentamos con ser hablantes y escribientes que piensan, escriben y hablan con sencillez como juristas. La grandilocuencia en los discursos jurídicos siempre será un arte admirable. Pero no va con los tiempos que corremos»[67]. Los tiempos que corremos, el deseo de transparencia y publicidad que los empapan, exigen sencillez en el lenguaje jurídico y uno de los caminos que conducen a ella es el de la correcta y ordenada disposición sintáctica de lo que se expresa.

Aunque no constituye propiamente un descoyuntamiento de orden sintáctico, no puede olvidarse como lacra del lenguaje jurídico en general que penetra por momentos en el jurídico el incorrecto empleo de las preposicio-

---

66. Como manifiesta J. BAYO DELGADO, «El lenguaje judicial ...,», página 5: «A propósito de la sintaxis he señalado la frecuencia con la que el orden de la frase es alterado innecesariamente en el lenguaje judicial».

67. J. GARRIGUES DÍAZ-CAÑABATE, «Dictámenes...», op. cit., página IX.

nes, entre las que descolla la preposición a. Así, los motores no son «a gasolina» sino «de gasolina»; un pensamiento o una cosa no se coloca «al centro», sino «en el centro», y las limitaciones reglamentarias de velocidad no se fijan en ciento veinte kilómetros «a la hora» sino «por hora».

4'. Los infinitivos rampantes

Cuidémonos los juristas del mal uso rampante del infinitivo.

El mal uso del infinitivo en el lenguaje jurídico se centra en la pujanza que cobran día a día los llamados infinitivo francés e infinitivo audiovisual.

a'. El infinitivo francés

El infinitivo francés consiste en la utilización de esta forma verbal seguida de una preposición. Estamos ante un extranjerismo de la familia de los galicismos. Su cuna se encuentra en el lenguaje oficinesco, el político lo ha acogido con cariño y hasta con entusiasmo y al jurídico lo inunda desde hace tiempo con fuerza expansiva.

He aquí tres ejemplos de infinitivo francés relacionados con la actualidad de los días en que escribí estas líneas en su primera edición. Se habla de los contactos con la organización terrorista ETA y se baraja «el posible precio político a pagar» en vez del sencillo y sobrio «el posible precio político que hay que pagar». Se habla de los Presupuestos Generales del Estado que el Gobierno debe presentar todos los años antes del uno de octubre, y más en concreto de «los objetivos a perseguir por dicho Presupuesto» en lugar del sencillo y sobrio «los objetivos que dicho Presupuesto ha de perseguir». Se habla de fichajes de jugadores de fútbol para jugar en la liga española de primera división y se hacen cábalas acerca de «los sueldos y primas a pagar» a los héroes-semidioses del balón en vez del sencillo y sobrio «los sueldos y primas que hay que pagar».

El infinitivo francés, a la par de afear y afrentar la construcción sintáctica debida, «adquiere muy poca utilidad en castellano: casi siempre se puede suprimir directamente sin que por ello la frase sufra merma alguna»[68].

Estamos ante un error que hay que combatir, no ante un error a combatir. Horroricémonos ante esta última expresión ajena al espíritu y la forma de nuestra lengua.

b'. El infinitivo audiovisual

GRIJELMO nos da cumplida noticia del infinitivo audiovisual. Transplanten

---

68.   A. GRIJELMO GARCÍA, «El estilo...», op. cit., página 226.

sus referencias al periodismo al Derecho y al periodista al jurista y párense un momento a recapacitar acerca de lo propagado que está en el lenguaje jurídico tan burda bofetada al buen hablar y escribir. Afirma este autor: «En el periodismo audiovisual se ha introducido la manía de usar el infinitivo a la manera de los indios en las películas del Oeste: "Por último, pedir a los conductores que tengan precaución en el regreso de este fin de semana"»[69].

Estas afirmaciones están escritas en 1997. Entonces el infinitivo francés rampaba aún por escalones inferiores. Desde entonces ha escalado muchos peldaños y el jurídico es uno de los campos en los que más lo ha hecho. Tómense una molestia: comprueben con cuántos infinitivos audiovisuales se encuentran ustedes a partir de ahora en, por ejemplo, los escritos jurídicos de carácter judicial. Se asombrarán cómo la mancha de aceite ha tomado auge en la mala pluma de algunos juristas. Les pido otro pequeño esfuerzo: dediquen algo de su tiempo a reparar en cuántas veces la intervención oral, del tipo que sea, de un jurista concluye con una ringlera de los denominados infinitivos audiovisuales.

¿No será que el hablar o escribir «a lo indio» ha descubierto en lo jurídico uno de sus terrenos más feraces?

5'. Los estiramientos expresivos

Alejémonos los juristas del innecesario estiramiento de palabras y frases. «Está asimismo demostrado –escribe el profesor PRIETO DE PEDRO– que la abundancia de palabras extensas en la frase entorpece su comprensión, prefiérase, por lo tanto, cuando sea posible, un sinónimo más breve»[70].

No obstante, existe una tendencia lingüística general de estirar sin necesidad palabras y frases como si lo corto y sencillo no fuera propio de un lenguaje distinguido y selecto, y sí lo farragoso y alargado. El mal procede de la política y de una minoría con pretensiones de seudocultura. En cuanto a su procedencia primera, se ha escrito que: «El oficio de político parece

---

69. A. GRIJELMO GARCÍA, «El estilo...», op. cit., página 208.
70. J. PRIETO DE PEDRO, «Lenguas...», op. cit., página 184.
   Como escribe F. LÁZARO CARRETER, «Parejas de hecho», El País, domingo, 8 de septiembre de 2002, página 14: «Credibilidad es, sin embargo, aquello por lo cual algo merece ser creído: "Su declaración goza de credibilidad aunque no hay testigos"; "Es un reportaje con escasa credibilidad". ¿Por qué esta palabra ha desplazado casi por completo a crédito? Lo explico hace años, y ahí sigo: desde el latín vulgar, la desnutrición idiomática prefiere lo largo a lo corto. Se van constituyendo así estas parejas de hecho (incidente/accidente, crédito/credibilidad), y otras aún más risibles, por ejemplo la que, en televisión, ilustra hace pocos días imágenes de un desastre fluvial, "capturadas, según decía aquel bello busto, por nuestras cámaras". Añadamos, pues, a las anteriores la mixtura: captar/capturar».

llevar aparejada una búsqueda de las palabras propias de una supuesta cúpula social, a la vez que el desprecio por el lenguaje más natural, tal vez porque éste pertenece al pueblo y usarlo les presenta como integrantes de la base de la sociedad... buscará la seducción con ellos, para enviar al público el mensaje de que su lenguaje ha adquirido una cualidad superior. Pretende fascinar y repartir perplejidad. Usa para ello el valor de los sonidos: hace creer que las palabras largas también prolongan su contenido. Se pretende sobre todo confundir al receptor, dejarlo anonadado ante un lenguaje que se supone superior, elitista, perteneciente a un grupo al que él no pertenece»[71]. Por lo que atañe a la procedencia seudocultural, Amando DE MIGUEL indica que: «Los angloparlantes gozan de un idioma que favorece las voces monosilábicas, cortantes. De ahí que en ellos destaque especialmente la minoría culta que procura introducir el mayor número posible de palabras largas, casi siempre pegadas a las raíces griegas o latinas que las hacen aún más exóticas. Sesquipedalismo se denomina mordazmente esta figura. Luis CALVO la ha criticado entre nosotros con su peculiar ironía, porque ésta es también moda importada... La manía sesquipedálica recuerda el juego infantil de recomponer lenguajes en clave para que los ajenos a la panda no accedan a sus secretos»[72].

Esta perniciosa tendencia causa furor en el lenguaje jurídico. Ciertos juristas deben creer que con el alargamiento innecesario y deformado de palabras o frases, su forma de expresión oral o escrita es más persuasiva y atendible, o, en el colmo de los despropósitos, que sus argumentos son más convincentes.

El estiramiento al que aludo se articula por medio de distintos instrumentos. Paso a mencionar los que, a mi parecer, infligen más daño a la corrección y eficacia del lenguaje jurídico.

a'. El llamado «ciempiés culilargo»

«Ciempiés culilargo» llama Santiago TAMARÓN a los adverbios modales terminados en –mente.

«Dos son los inconvenientes de estos adverbios modales –agrega el ilustre diplomático–. El primero y principal de orden práctico: el sufijo –mente tiene tal peso fonético (mucho más que el ingrávido –ly inglés o el borroso –ment francés) que estorba a la transmisión del pensamiento que pretende recoger la frase. Alguien –¿Borges?– dijo que el énfasis de esas dos sílabas

---

71. A. GRIJELMO GARCÍA, La seducción de las palabras, Taurus, Madrid, 2000, páginas 147 y 149.
72. A. DE MIGUEL, «La perversión...», op. cit., páginas 145 y 146.

finales distrae de las anteriores, y termina uno oyendo o leyendo sólo "mente" y no las precisiones que se pretendía dar... El segundo inconveniente de los citados adverbios es que son feos. Destrozan con su pesadez todo ritmo en el lenguaje, escrito o hablado»[73]. En suma, los alargamientos adverbiales a los que nos referimos dañan la claridad, la sobriedad y la elegancia de lo que se quiera expresar.

El lenguaje jurídico está sembrado de adverbios acabados en –mente. Es una de las manifestaciones del lenguaje en la que más proliferan. Los juristas que otorgan al uso muy frecuente de estas fórmulas adverbiales el poder de lo especializado crecen como setas, ¡más les valdría ser conscientes del efecto demoledor que ello produce a cualquier ojo u oído bien formado, aunque de éstos haya cada vez menos!

La sobreabundancia de los adverbios en el lenguaje jurídico es abrumadora. Cuántas veces nos topamos con:

– finalmente (por al fin, por fin, para terminar...).

– completamente (en lugar de por entero, por completo...).

– claramente (por a las claras, con claridad, de modo claro...).

– definitivamente (por en definitiva, en resumidas cuentas, por fin...).

– indudablemente (por sin duda, sin lugar a dudas...).

– actualmente (por en la actualidad, en el presente, hoy...).

– necesariamente (por de modo necesario, a la fuerza...).

– próximamente (por pronto, en próximas fechas...).

– evidentemente (por es evidente que, es claro que, de modo evidente...).

– posiblemente (por quizá, es posible...).

– últimamente (por hace poco, en fechas recientes...).

No me resisto a dejar para el final y a dar un tratamiento especial a los reyes de esta nutrida y creciente corte. De cierto que los que lean estas líneas imaginan de antemano los adverbios modales a los que aludo. No pueden ser otros: se trata de solamente y obviamente, quizá este último emperador por encima de aquél, rey. Solamente ha barrido de la esfera lingüística a construcciones adverbiales tan sobrias y claras como quizá y nada más, sin ir más lejos. Pero, reinando sobre el resto, coloco al adverbio alargador obviamente. Adviertan que desde un tiempo a esta parte en muchos escritos e

---

73. MARQUÉS DE TAMARÓN, «El guirigay...», op. cit., páginas 43 y 44.

intervenciones orales de naturaleza jurídica todo se entiende o expresa «obviamente». Nada es claro, indudable, meridiano o incluso obvio; el obviamente lo ha engullido todo. «Nadie importante dice hoy en día está claro que. Hay que decir obviamente»[74]. No quiero poner el punto y aparte sin dejar constancia de la fuerza con la que está despuntando el adverbio adicionalmente, «ciempiés culilargo» que procede del inglés y de la jerga financiera.

La situación se agrava porque más de un jurista ha cogido la manía, en su significado mitológico de desvarío[75], o en el más limitado de tic personal, de empezar una oración o, algo todavía peor, un apartado, una página y hasta un escrito con adverbio de la clase que abordo en este momento. En tan desafortunado supuesto todos los efectos perniciosos achacables a tal modismo adverbial se concentran con resultados devastadores para la corrección lingüística.

No pretendo defender con lo expuesto que los adverbios modales que concluyen en –mente deban desaparecer del lenguaje en general y del jurídico en concreto. Lo que defiendo es su uso medido, conocedor de los riesgos que su presencia entraña, con sus límites siempre presentes cuando nos planteemos su utilización. «Lo malo como siempre –manifiesta con tino Santiago TAMARÓN–, no es el uso aislado de estos adverbios monótonos, sino su abuso»[76].

No es fácil ni aconsejable adelantar una regla general sobre el uso de estos adverbios en el escribir y hablar jurídicos, porque no hay reglas objetivas y está por medio el estilo personal de cada jurista. Desde luego debe rechazase la presencia de más de uno en una frase por muy larga que ésta sea. La presencia en dos frases seguidas no es recomendable. A partir de ahí todo depende del caso concreto al que nos enfrentemos. La pauta orientativa ha de consistir en escatimar su utilización y, si nos asalta la duda, orillarlos, así se acaba el problema.

b'. La excesiva adjetivación

Los juristas hemos de cuidarnos de la excesiva adjetivación. La catarata de aditivos alarga en demasía las frases, recarga la expresión, dificulta el desarrollo natural del discurso y, al cabo, en lugar de matizar o precisar confunde porque contribuye a que quien escucha o lee no fije su atención

---

74. MARQUÉS DE TAMARÓN, «El guirigay...», op. cit., página 43.
75. Sobre el particular vid. C. GARCÍA GUAL, Introducción a la mitología griega, Alianza Editorial, Madrid, 1999, página 132.
76. MARQUÉS DE TAMARÓN, «El guirigay...», op. cit., página 45.

en la sustancia de lo que se expresa, no en el sustantivo-sustancia sino en el adjetivo que lo califica o determina.

La lucha contra el exceso de adjetivación forma parte también de la poda de todo lo superfluo e innecesario a la que tiene que propender el lenguaje jurídico.

Ahí van ciertas sugerencias inspiradas por el mal uso de los adjetivos en el lenguaje jurídico que la experiencia me ha ido brindando. Es recomendable evitar adjetivos cuya calificación redunde sin aportar nada al sustantivo que acompañan. Es conveniente huir de los adjetivos compuestos o formados de dos o más ya existentes. La repetición redundante de dos o más adjetivos con el mismo significado es rechazable. Hemos de estar en guardia ante la conversión de adjetivos en adverbios de modo, gracias al añadido de la terminación –mente, y, por fin, «debe intentarse siempre posponer el adjetivo –señala Joaquín BAYO–. En la mayoría de los intentos se comprobará que el resultado es más acorde con el lenguaje cotidiano y se evitará así la tentación latente de dar un tono literario, siempre artificioso, al lenguaje forense»[77].

c'.   Las construcciones pasivas

Al igual que al común, al lenguaje jurídico claro, directo, conciso y elegante le suele sentar mal la construcción pasiva, es decir, las oraciones en las que la voz determinante de su estructura sea un verbo en forma pasiva[78].

Las construcciones pasivas, a las que el jurista vive tan apegado, suelen alargar de manera innecesaria la oración y «la prosa se carga de palabras y adquiere un ritmo lento, pesado»[79]. Esto es lo mismo que poner de manifiesto que la construcción pasiva suele perturbar la claridad, la concisión y, en suma, el estilo jurídico directo.

6'.   La incorrecta puntuación

Son ilustrativas y bellas, en mi sentir, estas palabras de CASSANY: «La puntuación es como un termómetro de la escritura. Solamente echando un vistazo a los puntos y las comas de un texto puedes aventurar una idea bastante

---

77.   J. BAYO DELGADO, «El lenguaje forense...», op. cit., página 62.
78.   Adviértase, sin embargo, que, como manifiesta J. BAYO DELGADO, «El lenguaje forense...», op. cit, página 59: «La voz pasiva ha caído en desuso en el lenguaje castellano actual, mucho más que en otros idiomas como el inglés. El lenguaje forense, siempre arcaizante, la conserva más. Sin abusar de ella, puede ser un instrumento válido para dar coherencia al relato fáctico, por ejemplo».
79.   D. CASSANY, «La cocina...», op. cit., página 114.

aproximada de la calidad general de la prosa»[80]. No se quedan a la zaga las siguientes consideraciones de José Antonio MILLÁN: «Las letras son el cuerpo de un texto, pero rodeándolas hay una nube de pequeños signos, a los que apenas prestamos atención, que constituyen el auténtico espíritu de las palabras»[81].

De la función de los puntos y seguidos y de los puntos y aparte, entre otros signos de puntuación, me he ocupado ya al considerar las reglas aconsejables para la organización formal del lenguaje jurídico. En este momento nos limitamos a un fenómeno que concierne a un elemento concreto de la puntuación ortográfica. Este fenómeno consiste en la sobrepuntuación y la puntuación incorrecta.

Estamos ante una deficiencia presente en bastantes escritos jurídicos, plagados de comas excesivas y de comas mal puestas con todo lujo de variantes[82].

El problema no es sólo estético. En general la puntuación organiza las distintas unidades de un texto; es instrumento imprescindible para delimitar lo central y lo secundario, lo principal y lo accesorio, lo sustancial y lo circunstancial. A esta crucial tarea contribuye de manera acusada el acento.

La acentuación incorrecta mancha todo escrito jurídico de confusión y contribuye a entorpecer su ritmo natural y su contenido expresivo, al que puede incluso llegar a desfigurar por completo, y, a la postre, dañar con saña su claridad.

El problema de la incorrecta puntuación en todas sus variantes no es baladí. Observen con esmero textos jurídicos de nuestros días, desde la más sesuda obra doctrinal hasta el más ligero escrito jurídico, pasando por el más docto dictamen. Busquen –no hará falta que se denueden porque les va a asaltar de inmediato– muestras de incorrecta puntuación en general y de sobrepuntuación en particular. Casi se puede asegurar, y el casi es en aras a la prudencia, que se van a asombrar y hasta escandalizar, dependerá esto de la sensibilidad del lector. Hagan la prueba; podrán advertir la mala calidad ortográfica, ahora en el lado de la puntuación, que mancha ciertos escritos que surcan lo jurídico incluso por las alturas excelsas[83].

---

80. D. CASSANY, «La cocina...», op. cit., página 175.
81. J. A. MILLÁN, Perdón, imposible, RBA, Barcelona, 2005, página 11.
82. Sobre el particular puede consultarse con carácter general a J. A. MILLÁN, «Perdón...», op. cit.
83. A. GRIJELMO GARCÍA, «El estilo...», op. cit., páginas 275 y siguientes, nos ofrece algunas reglas elementales de la correcta puntuación importables, como tantas otras, a lo jurídico. Estas reglas son:
    «1. Dos o más partes de una oración, cuando se escriban seguidas o sean de la misma clase, se separarán con una coma. Ejemplo "Juan, Pedro, Antonio". Pero no cuando medien estas tres conjunciones: y, ni, o.

Es preciso reconocer que, como indica José Antonio MILLÁN, «no hay reglas tajantes»[84] en materia de puntuación, de manera que la articulación y el ritmo de aquélla depende mucho del estilo de quien escribe. Hay, sin embargo, reglas elementales de la puntuación que, por mucho estilo personal que se quiera imprimir a un escrito que es jurídico y no de creación literaria, deben ser respetadas[85], y reglas que vienen impuestas por el ritmo y el buen desarrollo de lo que se escribe. Lo contrario conduce a la confusión y, con alguna frecuencia, a decir lo que no se quiere decir, lo que produce o efecto contrario al deseado o contrariedad en el que lee por el esfuerzo que entraña tener que desmarañar la contradicción con lo expuesto antes a la que arrastra la defectuosa puntuación.

7'. *Las siglas y los acrónimos*

Las siglas, grupo de iniciales de varias palabras que corresponden a alguien o a algo, y los acrónimos, cuando dicho grupo lo componen varias palabras más allá de las iniciales[86], crecen en el lenguaje jurídico actual como

---

2. En una cláusula con varios miembros independientes entre sí, éstos se separarán con una coma, vayan precedidos o no de una conjunción. Ejemplos: "Todos mataban, todos se compadecían, ninguno sabía detenerse"...

3. Las oraciones que suspenden momentáneamente el relato principal se encierran entre comas. Ejemplos: "La verdad, escribe un político, se ha de sustentar con razones y autoridades...".

4. El nombre en vocativo va seguido de una coma, si está al principio, precedido de una coma, si está al final, y entre comas si se encuentra en medio de la oración. Ejemplos: "Juan, óyeme...".

5. Cuando se invierte el orden regular de las oraciones de la cláusula, adelantando lo que había de ir después, debe ponerse una coma al final de la parte que se anticipa. Ejemplo: "Cuando el cuadrillero tal oyó, túvole por hombre falto de seso". Sin embargo, la coma no es necesaria en las transposiciones cortas y muy perceptibles. Ejemplo: "Donde las dan las toman".

6. La elipsis del verbo se indicará con una coma. Ejemplo: "Usar la venganza con el superior es locura, con el igual, peligro, con el inferior, vileza"».

84. J. A. MILLÁN, «Perdón...», op. cit., página 13.

85. Por ejemplo, las reglas de puntuación que la Real Academia de la Lengua recoge en su Ortografía de la lengua española, Espasa Calpe, Madrid, 1999.

86. Como escribe Amando DE MIGUEL, «La perversión...», op. cit., páginas 120 y 121: «Por lo general las modas se resuelven en circunloquios: cuantas más palabras, mejor. También padecemos la retórica contraria que condensa las grandes palabras en siglas. Cuando las siglas (a veces con alguna letra más) se pueden leer como una nueva palabra, sin tener que deletrearla, estamos ante un acrónimo... El acrónimo se incrusta verdaderamente en nuestra lengua como una palabra más, cuando se forma con el juego de las iniciales de una expresión en inglés, por lo demás perfectamente ininteligible en muchos casos. Así hablamos con naturalidad del radar (radio detecting and ranging) o el láser (light amplification by stimulated emission of radiation). La "sopa de letras" resulta particularmente estragante en la parte de la sociología electoral o de los aficionados a los ordenadores. ¿Quién no ha sido tentado de aprender el BASIC (beginners all-purpose simbolic instruction code)? Se nos dice que es

las setas en un otoño húmedo y templado. «Vivimos –afirma PRIETO DE PEDRO–, como ha dicho Dámaso ALONSO, en el "siglo de las siglas", carecería de sentido, por ello, querer situar al lenguaje legal contra corriente de este arrollador fenómeno lingüístico, por el que una serie o conjunto de palabras es abreviado mediante la escritura de sus letras iniciales»[87].

Con tendencia a la expansión, hoy no es infrecuente tropezarnos con escritos o intervenciones orales de carácter jurídico salpicados de saltones injertos de siglas y acrónimos cual obstáculos para el natural desarrollo de lo que se expresa, a veces hasta insuperables.

Las siglas y los acrónimos están pasando en los días que corren a formar parte del lenguaje arcano con ecos demiúrgicos que ciertos juristas quieren guardar. La proliferación y el uso sin freno de tales elementos perjudican gravemente el discurrir fácil de lo que se habla o escribe, estéticamente suelen parecer pedradas que se lanzan de sopetón al que pretende seguir tal discurrir y, sobre todo, constituyen una auténtica bofetada para la transparencia y publicidad hoy tan demandadas del lenguaje jurídico por la sociedad[88].

La situación está llegando a tal extremo que hay que declarar la guerra a la desmedida proliferación de siglas y acrónimos que suele invadir a la expresión jurídica que boga en nuestros días[89].

En todo caso, y como exigencia inesquivable al requerimiento del uso mínimo de siglas y acrónimos, es lo siguiente recogido en el libro de estilo GARRIGUES: «Salvo en los casos de siglas universalmente conocidas (o conocidas, con seguridad, por el destinatario), deberemos indicar siempre el significado de cada sigla la primera vez que aparezca en el escrito.

---

el lenguaje del futuro». En una publicación mucho más reciente este mismo autor se refiere también a «el siglo de las siglas», recogiendo el eco de una expresión acuñada tiempo atrás por Dámaso ALONSO (A. DE MIGUEL, «La lengua...», op. cit., página 316, quien menciona verdaderas perlas de la marea acronómica que nos inunda).

87. J. PRIETO DE PEDRO, «Lenguas...», op. cit., página 157. Ahora bien, como escribe F. SOSA WAGNER, *Los juristas, las óperas y otras soserías*, Civitas, Madrid, 1997, páginas 92 y 93: «Pero se convendrá conmigo en que hay límites. Si no se me cree, léase un periódico donde un titular nos advierte que, por fin, las "ventajas RDSI están al alcance de las PYMES"».

88. Como señala J. PRIETO DE PEDRO, «Lenguas...», op. cit., página 157, «Las siglas aportan, sin duda, una expresión seca, mecánica, y, en general, oscura».

89. Joaquín BAYO DELGADO, «La formación básica del ciudadano y el mundo del Derecho. Crítica lingüística del lenguaje judicial», Lenguaje judicial, Cuadernos y Estudios de Derecho judicial, XVI, Consejo General del Poder Judicial, 1997, es más medido en sus manifestaciones, aunque en el fondo late, a mi juicio, la misma preocupación expuesta en el cuerpo del trabajo; manifiesta: «Las abreviaturas y siglas, no tan frecuentes en las resoluciones judiciales como en otros campos científicos, también deben ser objeto de especial atención, pues a veces resultan evidentes para el jurista pero no para los implicados».

A estos efectos resultará más prudente no presumir que las siglas se conocen, sobre todo en los casos en que el escrito puede ser leído por más de una persona»[90].

8'. Los modismos y las modas

a'. Los modismos

Hemos tenido oportunidad de referirnos en apartados precedentes a las muletillas y a los tics. Las muletillas o palabras o composiciones de ellas que se repiten y son superfluas para el desarrollo de lo que se expone; los tics o palabras aisladas o locuciones de todo tipo que, sin ser de uso general, se enraízan en una persona hasta constituir un elemento recurrente de su modo de expresión.

Por el contrario, no nos hemos referido al modismo o «expresión imaginativa, pintoresca o "folklórica" peculiar del idioma» (Manuel Seco, Olimpia Andrés y Gabino Ramos)[91]. Los modismos, al igual que las locuciones o «agrupaciones más o menos fijas de palabras», género en el que se insertan como especie los modismos[92], pueden llegar al lenguaje jurídico por la vía de su contacto e inmersión en el común. Incluso pueden ser útiles y bienvenidos para aligerar, descargar y hacer más llevadera la más frecuente de lo deseable aridez de la expresión jurídica. Como casi siempre, la corrección en el uso de las locuciones verbales y de los modismos en el lenguaje jurídico depende de la mesura y de la pertinencia, no hay reglas fijas y previas.

b'. Las modas

Pero las modas en el lenguaje no son ni muletillas, ni tics ni locuciones verbales ni modismos. Las modas son palabras o composiciones léxicas de toda clase que, normalmente de pronto y como vendaval, ocupan espacios de la expresión verbal o escrita de una manera hegemónica y excluyente de otras fórmulas comunicativas, y que, al cabo de mayor o menor tiempo, acaban desapareciendo.

La posición del lenguaje jurídico ante las modas no es fácil. Las modas por su inclinación a lo vulgar y al trato uniforme y sin matiz perjudican la precisión y elegancia del lenguaje jurídico. Por eso en principio y como regla general el lenguaje jurídico debe permanecer en guardia frente a ellas y ser poco favorable a su acogimiento. Empero, permítaseme repetir una vez más

---

90.   Libro de estilo Garrigues, op. cit., páginas 100 y 101.
91.   M. Seco, O. Andrés y G. Ramos, Diccionario fraseológico documentado del español habitual. Locuciones y modismos españoles, Aguilar, Madrid, 2004, página XIII.
92.   M. Seco, O. Andrés y G. Ramos, «Diccionario...», op. cit., páginas XII y XIII.

que el lenguaje jurídico se zambulle en el común y por este conducto es difícil postular que toda moda léxica debe quedar al margen de la expresión, sin contar lo difícil que es en ocasiones diferenciar entre moda más o menos pasajera e innovación con visos de permanencia.

La regla que debe predominar es, pues, la de extrema vigilancia y rechazo inicial a las modas lingüísticas que avanzan insidiosamente y empiezan a manchar mucho los textos jurídicos. Un solo ejemplo: nada menos y nada más que la Ley Orgánica 4/2013, de 28 de junio, de reforma del Consejo General del Poder Judicial, por la que se modifica la Ley Orgánica 6/1985, de 1 de julio, del Poder Judicial, encabeza el párrafo tercero del apartado I de su preámbulo: «Vale la pena observar ...», acudiendo con toda ramplonería a la incorrecta moda basada en el empobrecedor modismo «vale la pena».

9'. La feminización del lenguaje jurídico ¿moda pasajera o tendencia permanente?

a" Una tendencia que con punto de arranque en el lenguaje común penetra con fuerza en el jurídico es la de la feminización del hablar y del escribir y la de la lucha contra el androcentrismo léxico[93], ambas llevadas hasta el extremo. Adentrémonos en cuestión de tan rabiosa actualidad y de no fácil tratamiento.

Como se lee en el Diccionario panhispánico de dudas: «Los sustantivos en español pueden ser masculinos o femeninos cuando el sustantivo designa seres inanimados, lo más habitual es que exista una forma específica para cada uno de los dos géneros gramaticales, en correspondencia con la distinción biológica de sexos...; no obstante, son muchos los casos en que existe una forma única, válida para referirse a seres de uno u otro sexo»[94]. En conexión con ello, el libro Saber escribir publicado por el Instituto Cervantes y del que es coordinador Jesús SÁNCHEZ LOBATO añade lo siguiente: «El género masculino en plural, desde la perspectiva gramatical y en la tradición cultural del español, sirve (ha servido) para expresar tanto a las personas pertenecientes al sexo masculino como al opuesto»[95].

«Sin embargo –se lee también en el libro reseñado en último lugar–, la realidad del uso de la lengua en España (no es general ni mucho menos, en

---

93. Sobre el androcentrismo léxico pueda consultarse, entre otros trabajos, a M. BENGOECHEA BARTOLOMÉ, «La categorización masculina del mundo a través del lenguaje verbal de los medios», en Manual de información de género, Instituto de la Mujer, Madrid, 2004, páginas 71 y siguientes.
94. Diccionario panhispánico de dudas, Real Academia Española, Asociación de Academias de la Lengua Española, Madrid, 2005, página 310.
95. Saber escribir, op. cit., páginas 38 y 39.

Hispanoamérica) en estas construcciones está variando: la política de igualdad social en todos los ámbitos de la sociedad, el acceso de la mujer a los puestos de responsabilidad y la influencia de los medios de comunicación social al transmitir el lenguaje de los políticos nos lleva a pronunciar y, por lo tanto, a escribir: "Mis queridos/as amigos/as"»[96].

¿Carece esta tendencia de fundamento sólido? ¿Es moda pasajera o, por el contrario, se incorporará de manera permanente a las formas de expresión del español con la acogida correspondiente en el lenguaje jurídico?

Es cierto que el acarreo histórico-cultural en el que la lengua se zambulle desemboca en bastantes puntos en androcentrismo léxico o, como escribe la Fiscal de Sala Delegada contra la Violencia de Género, Soledad CAZORLA PRIETO, en «uso perverso de la lengua donde el femenino queda constituido como una excepción a la regla general en donde lo femenino sólo importa a las mujeres, mientras que los problemas de los hombres incumben a toda la humanidad»[97]. No menos cierto es que, como advierte la misma autora, «además del androcentrismo hay otro término ligado a la falta de equidad lingüística, el sexismo o lenguaje sexista que se traduce en la demostración de que las normas gramaticales colocan a lo femenino en posición inferior y subordinado a lo masculino y que vuelven a definir a lo masculino como englobante de lo femenino»[98].

A la luz de todo ello, tiene fundamento permanente y no debe ser tratada como moda pasajera la pugna por eliminar del lenguaje jurídico las expresiones que coloquen por cualquier vía a la mujer en situación de desconsideración u olvido. Ahora bien, este propósito, y me refiero específicamente al campo jurídico, debe hacerse, a mi juicio, con prudencia y sin olvidar otros factores que también han de contar en la materia[99].

Sentado este criterio general, paso a esbozar algunas reglas prácticas en

---

96. Saber escribir, op. cit., página 39.
97. S. CAZORLA PRIETO, «La igualdad de género. Los medios de comunicación y la publicidad», ponencia presentada en el curso El Ministerio Fiscal y los medios de comunicación, celebrada en el Pazo de Mariñán, septiembre de 2006, página 25.
98. S. CAZORLA PRIETO, «La igualdad...», op. cit., página 25.
99. Como escribió hace años R. SENABRE, «Compañeros y compañeras ...», Tercera de ABC, del 2 de abril de1997: «Lo cierto es que esta contienda –necesaria, sin duda– no debe librarse en el terreno del lenguaje, sino en el jurídico y, sobre todo, en el de la realidad cotidiana, donde la presencia de la mujer en muchas actividades de las que antes se encontraba excluida no garantiza en absoluto la ausencia de comportamientos intolerables que burlan la letra y el espíritu de leyes. Dedicarse a husmear posibles huellas de sexismo en el lenguaje en lugar de hacerlo donde es debido equivale a escurrir el bulto para no aferrar el toro por los cuernos».

pos de la eliminación del lenguaje jurídico de expresiones que vayan en desdoro de la condición de la mujer.

El principal caballo de batalla lo constituye el uso del genérico masculino. Aunque debe limitarse en los términos que expondré en los párrafos siguientes, su uso no puede ser proscrito del lenguaje jurídico; la economía de la expresión jurídica, la evitación del fárrago y la sobrecarga en un lenguaje ya de por sí proclive a lo farragoso y a lo sobrecargado, la meta deseable de la concisión expresiva y del no entorpecimiento del desarrollo argumentativo, todos ellos son factores que aconsejan el mantenimiento del masculino genérico en el lenguaje de los juristas si bien con las limitaciones y atemperamientos que imponga el defendible al ciento por ciento destierro del lenguaje antifemenino de lo jurídico[100].

Sin perjuicio de lo señalado, esbocemos algunas reglas en pos del tratamiento de la mujer en el lenguaje jurídico.

Debe eliminarse el masculino genérico cuando éste se plasme en el sustantivo hombre, que ha de ser sustituido por otro sustantivo o fórmula sustantivizada menos estridente y que cumpla la misma función. Por ejemplo, sustituir hombre por ser humano; hombre de Estado por estadista[101].

---

100. El lenguaje jurídico también debe defenderse de las estridencias desfiguradoras a las que puede llevar la ley del péndulo con relación a la feminización del lenguaje. Con tinta de exageración literaria J. M. DE PRADA, «Los miembras virilas», ABC, sábado, 2 de febrero de 2007, página 5, se refiere a un ejemplo del extremo rechazable al que en el ir y venir de la ley del péndulo se puede llegar: «Y entre esas migajillas que la basura cósmica del feminismo arroja a las pobres mujeres demolidas no podía faltar, por supuesto, la tergiversación desquiciada del lenguaje. Era cuestión de tiempo que surgieran propuestas chuscas como la que en estos días nos viene de Córdoba. Cuando la papilla humana que propugna el totalitarismo adquiere consistencia de engrudo, cuando las ideologías aberrantes se aúnan con el analfabetismo rampante y el despoblamiento neuronal surgen aleaciones así de estupefacientes.
Proponen estas feministas cordobesas que se introduzcan en el lenguaje términos como "jóvena", "miembra" o "marida"».

101. El manual de comunicación no sexista, publicado por el Ayuntamiento de Tarrasa, dentro del proyecto ROL (Regions on Line), páginas 7 y siguientes, propone, entre otros extremos: «Sustituir el falso genérico masculino hombre (y hombres) por otros términos de la lengua con valor genérico real. Así, el origen del hombre por el origen del ser humano; todos los hombres son iguales ante la ley; la historia de los hombres por la historia de la humanidad, los derechos del hombre por los derechos humanos.
Sustituir el falso genérico masculino, singular o plural, por otros términos de la lengua con valor genérico real, o bien por soluciones neutras menos personalizadas, siempre que ello sea posible. Así, el denunciante por la persona que denuncia; el interesado por la persona interesada; el funcionario por el funcionariado; los trabajadores contratados por el personal contratado».
El Manual citado contiene muchas otras propuestas en las que no es posible entrar, dado el objeto más general de nuestro trabajo.

Debe ahondarse en la riqueza del español para encontrar denominaciones que engloben lo masculino y lo femenino, con evitación así del masculino genérico. Por ejemplo, señoras y señores miembros de la Cámara por señoras y señores diputadas y diputados.

Deben eliminarse en todo caso los términos sexuados que entrañen una desconsideración o desmerecimiento para la mujer[102].

---

102. M. Bengoechea Bartolomé, «La categorización...», op. cit., páginas 89 a 91, recoge una relación muy completa de mecanismos lingüísticos que favorecen la constancia de la presencia femenina.

Así y entre otros:

Se puede sustituir el masculino «genérico» por un sustantivo auténticamente genérico, como son los colectivos: persona, personal, equipo, colectivo, público, pueblo, población, gente...

Se puede sustituir el masculino «genérico» por un sustantivo abstracto: profesorado, alumnado, estudiantado, vecindario, clientela, magistratura, ciudadanía, electorado, la infancia, la adolescencia, la clase periodística, la profesión médica...

Se puede sustituir el masculino «genérico» por una metonimia, como el cargo, la actividad, la profesión, el lugar: Madrid, la dirección (en lugar de «los directores»), la vicepresidencia, la redacción (y no «los redactores»), las candidaturas (en vez de «los candidatos»), la Europa contemporánea (para sustituir a «los europeos contemporáneos»)...

Se puede sustituir el masculino «genérico» por un cambio en la redacción. En lugar de la frase: Durante diez días los compradores tienen opción a devolución de su dinero, se puede cambiar la redacción a frases como: Durante diez días se tiene opción a la devolución de su dinero, Durante diez días después de la compra existe opción a la devolución de su dinero.

Son asimismo sexuados muchos adjetivos que posee formas masculina y femenina (emprendedora, listo). Para no utilizar las formas masculinas como genéricas se puede:

a. Sustituir el adjetivo de doble forma (lista, listo) por un adjetivo sinónimo invariable por el género (inteligente) (emprendedor, emprendedora por audaz).

b. Sustituir el adjetivo por un sustantivo de la misma familia léxica que el adjetivo o un sinónimo, por una preposición y un sustantivo de la misma familia léxica que el adjetivo, o por un sinónimo de aquél: son muy listos por tienen gran inteligencia; los más votados por quienes hayan obtenido mayor número de votos; nadie está más convencido por nadie tiene más convencimiento.

Son asimismo sexuados los adjetivos y participios sustantivados (los discapacitados). Para evitarlos, se puede recurrir a una de estas tres opciones:

c. Intercalar un sustantivo genérico y hacer concordar el adjetivo con él: las personas discapacitadas; los seres discapacitados; la población discapacitada.

d. Sustituir el adjetivo o el participio por un sustantivo de la misma familia léxica que el adjetivo o el participio o un sinónimo, o por una preposición y un sustantivo de la misma familia léxica que el adjetivo, o por un sinónimo de aquél: los discapacitados por los seres con discapacidad.

Son asimismo sexuados los participios pasados (elegidos, incluidos...). Pueden sustituirse por formas verbales con «se» o formas verbales activas (¡nunca pasivas!). En lugar de quienes estén comprometidos, se puede redactar: quienes tengan compromiso, quienes se hayan comprometido, quienes se comprometan.

Por otro lado, si se opta por la exclusión de raíz del masculino genérico, hágase esto en el caso de disposiciones generales en la parte preambular o introductoria y no de manera reiterativa en la parte normativa. En el caso de escritos de otro tipo o de intervenciones orales, hágase el distingo una vez, aclárese, si se puede, la razón de ello y continúese con el uso del masculino genérico, con las salvedades indicadas líneas antes.

b" Desde que escribí estas líneas pertenecientes a la primera edición, la polémica se ha recrudecido. El Académico de la Lengua Ignacio BOSQUE, con su documento «Sexismo lingüístico y visibilidad de la mujer» ha estudiado minuciosamente las recomendaciones al respecto de las numerosas guías o libros de estilo de muy dispares procedencias. La conclusión que figura encabezando el epígrafe 9 de dicho documento es muy compartible y debería tenerse muy en cuenta por los juristas actuales: «Un buen paso hacia la solución del "problema de la visibilidad" sería reconocer, simple y llanamente, que, si se aplicaran las directrices propuestas en estas guías en sus términos más estrictos, no se podría hablar»[103]. En efecto, como manifiesta BOSQUE en el párrafo sexto del epígrafe 7 de aquel documento: «Aun cuando dejáramos de lado estas cuestiones sintácticas sutiles, seguiría siendo pertinente la simple pregunta de dónde fijar los límites ante el "problema de la visibilidad de

---

103. El ejemplo que recoge Ignacio BOSQUE es demoledor, página 10 de su documento Sexismo lingüístico y visibilidad de la mujer: «Pero los fragmentos de la Constitución de la República Bolivariana de Venezuela que oportunamente cita Ignacio M. ROCA en el Boletín de la Real Academia Española (tomo 89, 2009, pág.78) no constituyen ejemplos inventados por periodistas o escritores: "Sólo los venezolanos y venezolanas por nacimientos y sin otra nacionalidad podrán ejercer los cargos de Presidente o Presidenta de la República y Vicepresidente Ejecutivo o Vicepresidenta Ejecutiva, Presidente o Presidenta y Vicepresidentes o Vicepresidentas de la Asamblea Nacional, Magistrados o Magistradas del Tribunal Supremo de Justicia, Presidente o Presidenta del Consejo Nacional Electoral, Procurador o Procuradora General de la República. Contralor o Contralora General de la República, Fiscal General de la República, Defensor o Defensora del Pueblo, Ministros o Ministras de los despachos relacionados con la seguridad de la Nación, finanzas, energía y minas, educación; Gobernadores o Gobernadoras y alcaldes o alcaldesas de los Estados y municipios fronterizos y de aquellos contemplados en la Ley Orgánica de la Fuerza Armada Nacional."

"Para ejercer los cargos de diputados o diputadas a la Asamblea Nacional, ministros o ministras; gobernadores o gobernadoras y alcaldes o alcaldesas de Estados y municipios no fronterizos, los venezolanos y venezolanas por naturalización deben tener domicilio con residencia ininterrumpida en Venezuela no menor de quince años y cumplir los requisitos de aptitud previstos en la ley."»

Escribe Antonio BURGOS, ABC, miércoles 30 de octubre de 2013, página 15: «La lengua española está tomando unos derroteros de adulteración ridícula y lamentable en los que me pierdo. Por ejemplo, me sorprenden esos escritos reales del lenguaje de lo políticamente correcto que del tirón repiten "ciudadanos y ciudadanas, españoles y españolas". No soy capaz de decirlo, lo siento. Y mucho menos de escribirlo».

la mujer en el lenguaje". Si la mujer ha de sentirse discriminada al no verse visualizada en cada expresión lingüística relativa a ella, y al parecer falla su conciencia social si no reconoce tal discriminación, ¿cómo establecemos los límites entre lo que su conciencia debe demandarle y el sistema lingüístico que da forma a su propio pensamiento? Si no estamos dispuestos a aceptar que es la historia de la lengua la que fija en gran medida la conformación léxica y sintáctica del idioma, ¿cómo sabremos dónde han de detenerse las medidas de política lingüística que modifiquen su estructura para que triunfe la visibilidad?».

El lenguaje jurídico, particularmente algunas vertientes del normativo, se pone a veces a la cabeza de las exageraciones y propicia el consiguiente peligro antes apuntado en una materia en la que la sencillez y claridad mejor entendibles han de constituir la regla de oro[104].

Solo tres ejemplos de esto, entre otros muchos. Los artículos 78 y 85 de la Ley del Parlamento de Cataluña 31/2002, de 30 de diciembre, de Medidas Fiscales y Administrativas, repiten hasta agotar: abogado o abogada; técnico o técnica; notario o notaria; secretario o secretaria; compromisario o compromisaria; socio o socia. El preámbulo de la Ley Orgánica 3/2007, de 22 de marzo, para la igualdad efectiva de mujeres y hombres se refiere a: españoles y españolas, y trabajadores y trabajadoras. Por último, en el Código civil de Cataluña, aprobado por la Ley 5/2006, de 10 de mayo, son frecuentes estas repeticiones; por ejemplo, en el artículo 553-20 con presidente o presidenta, y en el 533-21 con secretario o secretaria.

En cualquier caso, es conveniente recordar que: «Si alguien quiere sacudirse complejos, le diré que el masculino genérico no es un invento para molestar a las mujeres. Es un resto de la época protogenérica del indoeuropeo»[105].

Más importante es, en suma, cambiar la realidad perjudicial para la mujer que da pie al tratamiento lingüístico, que trastocar este desfigurándolo para que cambie la apariencia y permanezca la sustancia.

10'. La neolengua jurídica

Llamamos neolengua jurídica al fenómeno de la aparición de conceptos

---

104.   Como se lee en El País, domingo, 11 de marzo de 2012, página 32: «Tiene razón, en cualquier caso, la Real Academia al subrayar los excesos y las torpezas incluidos en estas guías para dar visibilidad a la mujer, y que conducirían, si se aplicaran rigurosamente sus prescripciones, a un habla impostada y ficticia amén de dificultar la comunicación».

105.   F. Rodríguez Adrados, «El lenguaje feminista», Tercera del ABC, viernes, 27 de agosto de 2004.

tachables de mayor o menor imprecisión e impropiedad jurídicas que van anidando en textos normativos con pretensiones más allá de lo propiamente jurídico. Estas pretensiones responden normalmente a motivaciones políticas[106], a cuyo servicio se entrega la norma jurídica sin que nada importe el abandono de las características a las que debe aspirar toda norma jurídica que se precie de tal.

Ejemplos de lo que llamo neolengua jurídica hay muchos. He aquí alguna de sus manifestaciones que empiezan a impregnar el lenguaje jurídico: sentido de país por interés general; soberanismo por soberanía; estructuras de Estado por Estado; expolio fiscal por inaplicación o defectuosa aplicación de los principios constitucional-financieros; derecho a decidir por autodeterminación, entre otras[107].

La neolengua jurídica, al ponerse al servicio de fines ajenos al Derecho, perturba seriamente la corrección del lenguaje jurídico y lo salpica de imprecisiones e indeterminaciones, que, a la postre, acarrean inseguridad y oscuridad.

Pongamos algunos ejemplos de viva actualidad.

Con origen en la neolengua política, ha penetrado en nuestro ordenamiento jurídico el viscoso concepto de «marca España»[108]. Fenómeno éste que va más allá de nuestras fronteras[109].

Quizá el término de la llamada neolengua jurídica que alcance más trascendencia en el campo del Derecho sea la recepción con acogimiento extremo del sustantivo emprendedor, que tiende a borrar del mapa de lo jurídico al de empresario, acuñado mercantilmente con toda precisión.

Con tufillo político y de una manera injustificada, el concepto de empre-

---

106. Sobre la aparición, alcance y sentido de la neolengua política de nuestros días puede leerse el artículo «La ocupación del lenguaje» de G. ABRIL, Mª J. SÁNCHEZ LEYVA y R. R. TRANCHE, El País, sábado, 1 de septiembre de 2012, página 27.
107. Sobre este punto es interesante el artículo «La neolengua política en España» de M. PONTE MORALES, Tercera del ABC del 29 de junio de 2013.
108. Como escribe Javier MARÍAS, «La Marca España y las ratas», El País Semanal, 26 de mayo de 2013, página 98: «A través de Yolanda Cortés, encargada de prensa de la Editorial Alfaguara, me llega una aparente petición (luego se verá que no lo es tanto) cuyo remite tiene el pomposo y ridículo nombre de "Alto Comisionado para la Marca España". Ya la mera idea de considerar España una "marca" (como también se hace con Cataluña, Andalucía y demás) habla del carácter venal y propagandístico de ese "ente", auspiciado por el actual Gobierno, dependiente del Ministerio de Asuntos Exteriores y amparado al parecer por la Corona».
109. En Francia también se impulsa la llamada «marque France». Vid el artículo de M. VAN RENTERGHEM, «Au chèvet de la marque France», Le Monde, domingo-lunes 20 de mayo de 2013, páginas 20 y siguientes.

sario tiene mala prensa, impregnado de explotación del trabajador y atropello de sus derechos. Acantonada esta tendencia desde hace tiempo en lo político, está dando un vigoroso salto a lo jurídico. Lo está dando la reciente Ley 14/2013, de 27 de septiembre, de apoyo a los emprendedores y su internacionalización. Un término tan delimitado en el Derecho mercantil y tributario como el de empresario está siendo sustituido por el de emprendedor, que trae imprecisión y produce confusión jurídica, pero, ¡qué más da!, arrincona el tufillo negativo del empresario y arriba al Derecho purificado por aguas bautismales de la política. ¡Ah, olvidaba! Además de pretender que borre todo lo malo que contamina el concepto de empresario, el de emprendedor subraya, con influencias del lenguaje económico[110], la gestión organizativa, la planificación y la asunción de riesgos propios de la labor empresarial, algo «políticamente correcto».

11'. Las palabras con prejuicios jurídicos

Van penetrando en el lenguaje jurídico actual palabras y conceptos con prejuicios jurídicos[111].

El ejemplo más clamoroso es el extendido e imparable empleo de la expresión «presunto culpable», «presunto terrorista», «presunto violador», presunto y añádanle la infracción del ordenamiento jurídico que quieran, pues todo cabe con esta insidiosa utilización lingüística de la presunción de inocencia consagrada en la Constitución.

El prejuicio dicta su sentencia, preliminar, sin juicio previo ni garantías constitucionales, y se plasma en la enunciación de la actividad infractora con la atribución a su autor. Pero para embozar tal prejuicio y revestirlo de aceptable juridicidad, se le añade el adjetivo calificativo presunto, que, como imparable mancha de aceite, se expande por normas y escritos judiciales y extrajudiciales. Parece como si, después de haber achacado a primera impresión la comisión de la actividad infractora, es decir, después de haber caído presa de un grave perjuicio jurídico, se quisiera lavar la incorrección lingüístico-conceptual con la inadmisible jurídicamente adición –pues un delito o infracción administrativa nunca se presumen, lo impide la presunción de inocen-

---

110. Vid al respecto a P. Toboso Sánchez, «El empresario en el lenguaje del siglo XX: de explotador a gestor», en Lenguajes de modernidad en la Península Ibérica, M. Pérez Ledesma editor, Servicio de Publicaciones de la Universidad Autónoma de Madrid, Madrid, 2012, páginas 549 y siguientes.

111. Véase el trabajo de I. Reyero y J. Pagola, «ETA impone la semántica del terror», ABC, lunes, 4 de junio de 2013, página 18, y el reflejo en variados instrumentos del lenguaje jurídico de muchas expresiones que se barajan en este trabajo.
     También el artículo de A. Grijelmo García, «Autoridad: nueva acepción», El País, jueves, 3 de enero de 2013, página 31.

cia– del calificativo presunto, que alivia la utilización de tal prejuicio jurídico[112].

8. LA AMENAZA DEL LLAMADO «NORMATIVÉS»

El ingenioso periodista Antonio BURGOS acuñó el término «tertulianés»[113], importado al ámbito académico por la catedrática Edurne URIARTE con la no menos ingeniosa denominación de «academiqués». Esta nueva lacra del lenguaje entraña «el encadenamiento de palabras vacías de sentido cuyo único fin es la ocupación del tiempo y el espacio y la ocultación de la vaciedad intelectual»[114].

El mal, importado del lenguaje político e hijuela del empobrecimiento general del común, llama con fuerza a la puerta de la palabra jurídica.

Con insana frecuencia esta perversión rampante del lenguaje despunta pendenciera en instrumentos jurídicos de todo tipo y hasta horada las puertas de las leyes y disposiciones en general hasta diluir su contenido en la vaciedad intelectual y la vaguedad conceptual[115]. Y si esta lacra tiene conse-

---

112. A. GRIJELMO GARCÍA ha denunciado el fenómeno desde un punto de vista del lenguaje general en «Palabras con prejuicios», El País, 1 de junio de 2013, página 29: «Lo malo de los espacios de cotilleo son los cotilleos desde luego: esa forma de entrar en las vidas ajenas sin permiso. Y lo peor que a su lado viaja otro mal, más inadvertido: los prejuicios y pensamientos rancios asociados con las palabras del discurso general que se farfulla en tales programas».
Un ejemplo más de las palabras con prejuicios dentro del lenguaje jurídico: la expresión inmigrante ilegal; el inmigrante no es ilegal, como mucho es la situación en la que se encuentra. En este sentido vid. a T. DUCLÓS, «La inmigración y el lenguaje», El País, 16 de junio de 2013, página 35, y los documentos que él mismo cita.
113. Vid, por ejemplo, en «Tertulianés andaluz», ABC, domingo 30 de junio de 2013, página 19.
114. E. URIARTE, «El academiqués», ABC, viernes, 11 de agosto de 2011, página 15.
115. Los ejemplos, por desgracia, abundan cada vez más en nuestras leyes. El preámbulo de la Ley 33/2011, de 4 de octubre, General de la Salud Pública, y su subsiguiente articulado están cuajados del más puro normativés; sólo cito una muestra: en el inciso inicial del párrafo séptimo de dicho preámbulo se lee: «La búsqueda de la salud debe ser una tarea solidaria y compartida que no reconozca fronteras». El artículo 1 de la Ley 23/2011, de 29 de julio, de depósito legal, es un primor de deficiencias lingüísticas, además de un claro ejemplo de rancio normativés; dice así: «La presente ley tiene por objeto regular el depósito legal, que se configura como la institución jurídica que permite a la Administración General del Estado y a las Comunidades Autónomas recoger ejemplares de las publicaciones de todo tipo reproducidas en cualquier clase de soporte y destinadas por cualquier procedimiento a su distribución o comunicación pública, sea ésta gratuita u onerosa, con la finalidad de cumplir con el deber de preservar el patrimonio bibliográfico, sonoro, visual, audiovisual y digital de las culturas de España en cada momento histórico, y permitir el acceso al mismo con fines culturales, de investigación o información, y de reedición de obras, de conformidad con lo dispuesto en esta ley y en la legislación sobre propiedad intelectual».

cuencias muy adversas en su vertiente común, son auténticamente demoledoras si lucen en uno de los templos supremos de la precisión, que debe ser el jurídico, y esto no por capricho o por prurito profesional, sino por exigencias de la seguridad jurídica, cimiento base de todo buen gobierno.

Los juristas tenemos más que nadie el deber de «regresar sobre nuestras palabras, habremos de devolver el sentido a nuestro lenguaje y restituir el timbre riguroso a nuestra voz»[116].

D. HACIA UN LENGUAJE JURÍDICO CON ELEGANCIA EXPRESIVA

1. PLANTEAMIENTO

El sustantivo elegancia y el adjetivo elegante son términos cuyos significados son conocidos por todos, si bien la tarea de precisarlos resulta difícil por su alcance muy variable. A pesar de ello, el Diccionario de la Real Academia de la Lengua de nuevo nos pone en la pista; lo elegante es con carácter general lo «dotado de gracia, nobleza y sencillez; airoso, bien proporcionado, de buen gusto».

Dentro de este marco general, examinemos los atributos sobre los que, en nuestro criterio, debería sustentarse el caminar hacia un lenguaje jurídico dotado de elegancia expresiva.

2. COMPONENTES

a. De nuevo la sencillez

Al lenguaje más sencillo y llano como meta a la que debe propender el lenguaje jurídico actual nos hemos referido en páginas precedentes. Ahora lo hacemos a la sencillez como componente de la elegancia a la que debe aspirar aquel lenguaje.

Un integrante crucial de la elegancia expresiva es la sencillez, entendida como escribir o decir lo que se pretende con la mayor economía de medios expresivos posible, sin enmarañamientos, con huida de manifestaciones expresivas complejas tanto por sus estructuras como por los elementos que las forman. He aquí un reclamo dirigible a todo lenguaje: «Deberíamos someter el lenguaje a un régimen de pan y agua, si queremos que no se corrompa y

---

116. F. García de Cortazar, «España por su nombre», Tercera de ABC, correspondiente al 3 de marzo de 2013.

nos corrompa», escribió con belleza expresiva Octavio Paz[117], si bien debe intensificarse esto en el jurídico a la luz de su naturaleza y circunstancias actuales.

Ya he apuntado que el lenguaje jurídico se inclina a la complejidad y a la poca simpatía con la sencillez. Es como si el jurista que hablara o escribiera de manera sencilla perdiera categoría en la errónea creencia de que ésta viene de la mano del alambicamiento. Mucho hay que trabajar en beneficio de la sencillez en el lenguaje jurídico actual.

La sencillez no está reñida con la riqueza expresiva que requiere la precisión del lenguaje jurídico. He aquí otro error: identificar sencillez con pobreza expresiva. Se puede hacer gala de una variedad de expresiones y conceptos y vestirla de una manera sencilla tanto por el orden gramatical que se respete como por el despojamiento de sobrecarga entorpecedora con que se haga.

b. La claridad

La claridad se nutre mucho de la sencillez. No es imposible que el lenguaje complejo sea claro, pero es mucho más fácil que lo sea el sencillo.

La claridad es hija del orden y de la expresión directa y sin rodeos. El lenguaje jurídico tiende a ser confuso bajo la creencia aún difundida de que lo oscuro, lo arcano e incomprensible es muestra de categoría. Lo claro, por ser sencillo, ordenado y directo, parece impropio del lenguaje jurídico de altura. Esta manera de ver las cosas conduce por desgracia a un lenguaje jurídico inelegante y, lo que es peor todavía, contrario a lo que la sociedad contemporánea tanto demanda de él que hasta la vigente Ley de Enjuiciamiento Civil, Ley 1/2000, de 7 de enero (artículos 209, 399, 405), exige en las sentencias «claridad y concisión posibles»; en los antecedentes de hecho y en las demandas judiciales «se fijará con claridad y precisión lo que se pida» y «los hechos se narrarán de forma ordenada y clara».

Apuntábamos en líneas precedentes que la sencillez propia de la elegancia en el lenguaje no pugna con la riqueza expresiva. Avanzamos ahora un paso más: la riqueza léxica es un ingrediente importante de la elegancia en el hablar y en el escribir. Dadas las características que lo acompañan, la riqueza de lo verbal o escrito es consustancial al lenguaje jurídico y favorece la aparición de la elegancia en este campo expresivo.

A pesar de ello, el lenguaje jurídico tiende a dejarse arrastrar por la

---

117.   O. Paz, El mono gramático, Seix Barral, Biblioteca Breve, Barcelona, 1974, página 25.

inelegancia que mancha al lenguaje de hoy en general, tan preso de la pobreza y la cursilería expresivas, tan repleto de reduccionismos, solecismos, lugares comunes y, en definitiva, tan víctima de un horizonte expresivo que cada vez más a menudo comprende poco más de mil palabras. El lenguaje jurídico no llega a tanto, pero la intercomunicación con el general y el trasvase de sus males tienden a ser cada vez más intensos. El peligro acecha y la inelegancia del lenguaje jurídico basada en tales factores progresa.

Ahora bien, no es admisible desconocer que, sin perjuicio de los anteriores alegatos, la claridad es meta difícil para el lenguaje jurídico. Su carácter especial y la riqueza y amplitud de la realidad social sobre lo que el Derecho se expande lo explican, además de otras razones apuntadas a lo largo del trabajo. Como afirma el filósofo y catedrático Manuel CRUZ: «Lo complicado de veras es el ejercicio de intentar atrapar la rica complejidad de los problemas en la red de un estilo claro y asequible para todos»[118].

La meta de la claridad es, sin duda, difícil para el lenguaje jurídico. Eso no es óbice para que los juristas luchemos para conseguirla. No es esto, además, un prurito profesional ni estético; es, como bien es sabido, una imperiosa exigencia de los aires que soplan en la sociedad contemporánea. En suma, como escribe Manuel OLIVENCIA: «La claridad se convierte así en obligación impuesta al jurista, más que en pura cortesía, porque, como decía el maestro GARRIGUES, "el Derecho es el arte de trazar límites y el límite no existe cuando no es claro". El vocablo claro –el "término"– es el que fija con nitidez y con exactitud el alcance del concepto al que sirve de vehículo de expresión. La claridad es, en fin, la fidelidad entre el signo y la idea»[119].

c. La flexibilidad y la adaptación a las circunstancias

Además de las reglas orientativas apuntadas hasta aquí, la búsqueda de la elegancia en el lenguaje jurídico debe estar orientada por una gran flexibilidad, regida ésta, ahora sí, por una pauta de oro: la imprescindible adaptación siempre a las circunstancias en las que se inserte la palabra o la escritura jurídicas. La elegancia expresiva pide siempre, también por ello en el campo jurídico, la flexibilidad que permite la adaptación a las circunstancias imperantes.

En el arte retórico (de ratione dicendi) de Juan Luis VIVES encontramos precisa huella de lo defendido: «Hay elegancia cuando se habla de tal manera que es conveniente para el propio asunto, para el hablante o para el oyente[120].

---

118.   M. CRUZ, La tarea de pensar, Tusquets, Barcelona, 2004, página 181.
119.   M. OLIVENCIA RUIZ, «Letras...», op. cit., página 166.
120.   J. L. VIVES, El arte retórico, op. cit., página 25.

E. EL LENGUAJE JURÍDICO Y EL ESTILO PERSONAL

Las consideraciones hasta aquí articuladas dentro del apartado del libro que este epígrafe remata han perseguido mostrar lo que, a juicio del que escribe, permite hablar de un lenguaje jurídico correcto y sintonizador con las exigencias que la sociedad contemporánea plantea a todo tipo de manifestación verbal o escrita y, entre ellas, también a la jurídica.

Mas, las fronteras que trazan la corrección y la sintonía aludidas no son estrechas ni rígidas; son amplias y flexibles. Esto permite que dentro de ellas cada jurista pueda desplegar su estilo personal. Son tan amplias y flexibles que casi, si se me permite la hipérbole, pueden existir tantos estilos como juristas que hagan uso de la palabra o acudan a la escritura.

La búsqueda de un estilo personal en el que escribe y quizá más en el que habla no responde sólo a razones estéticas y aparenciales. El estilo personal imprime fuerza y capacidad suasoria tanto al orador como al escritor; constituye, en suma, un instrumento que colabora en medida no despreciable en el logro de las metas perseguidas con la palabra o la letra.

Todo jurista debe esforzarse en dotarse de un estilo personal, tarea en la que corresponde un lugar destacado al buen uso de las herramientas de la retórica. Traslademos, empero, al lenguaje jurídico las siguientes afirmaciones de Juan Manuel DE PRADA relativas al lenguaje común y al literario para advertir el papel decreciente de la retórica en la conformación del estilo personal aconsejable en todo jurista. Escribe con tino el literato: «Cuando hablamos de "empobrecimiento del lenguaje" solemos referirnos a una expresión oral o escrita cada vez más reducida en su repertorio de palabras; pero soslayamos otro empobrecimiento acaso más profundo que no atañe al número de palabras que manejamos, sino a las posibilidades retóricas de esas pocas o muchas palabras. Y creo que una persona incapaz de entender una ironía, un calambur, una sinestesia o una alegoría es también una analfabeta funcional. Conformarnos con un uso "enunciativo y romo" del lenguaje, en el que las palabras se limitan a designar mostrencamente lo que queremos decir equivale a firmar un acta de defunción cultural. Y mucho me temo que hayamos iniciado un camino sin retorno: no se trata sólo de que la retórica haya dejado de ser impartida en las escuelas, como parte consustancial al proceso de alfabetización; lo más terrible del asunto es que ese lenguaje sin retórica empieza a infectar la expresión literaria. Incluso hay escritores que desdeñan altivamente la retórica, confundiéndola con el floripondio y la afectación»[121].

---

121. J. M. DE PRADA, «Abrir los postigos», XL Semanal del ABC, 10 de septiembre de 2006, página 12.

A pesar de la situación que se describe en esta cita, defiendo con convicción que componen el buen estilo personal en el lenguaje jurídico oral o escrito, junto a la corrección y la sintonía con los requerimientos sociales dirigidos al lenguaje actual, el oportuno y medido uso de ciertos resortes retóricos. La ironía, la paradoja, la hipérbole, la metáfora, las muchas posibilidades que ofrece el cambio de ritmo particularmente en el lenguaje oral, todos estos resortes, a la par de otros dentro de los muchos que brinda la buena retórica, contribuyen a dar cuerpo atractivo al estilo personal cuya presencia mantengo en el lenguaje jurídico.

VI

EL LENGUAJE JURÍDICO EN LA TRANSMISIÓN POR MEDIOS ELECTRÓNICOS

A. PLANTEAMIENTO

Las nuevas tecnologías han entrado en aluvión tanto en la comunicación escrita general como en la jurídica[1].

«Los nuevos canales y soportes comunicativos –se lee en el libro del Instituto Cervantes Saber escribir–, partiendo siempre de la finalidad de la comunicación, han originado un uso específico de la lengua española que intenta aunar oralidad y escritura desde el registro coloquial en el mismo acto comunicativo textual originando un tipo de lenguaje escrito muy próximo a la oralidad de la comunicación»[2].

Por sus características, el medio de comunicación electrónico ha adquirido gran importancia, por encima de ser nuevo instrumento significante, hasta tender a modificar el contenido significado que se canaliza a través de tal medio de comunicación.

En el libro del Instituto Cervantes que acabo de citar se apuntan como factores influyentes sobre el lenguaje transmitido por medios electrónicos: la velocidad («la rapidez en la información estructura el mensaje»); la adaptación al soporte («desde una perspectiva estructural el SMS [mensaje de texto], condicionado por un número de caracteres [150 aproximadamente], tiene que permitir informar de todo lo que se quiere en muy poco espacio»); y el esquema en potencia («el soporte lingüístico escritura [grafía, ortografía, construcción y estilo] se comprime mediante los recursos propios del sistema lingüístico»).

---

1. Sobre este fenómeno escribe S. MUÑOZ MACHADO, «Los itinerarios de la libertad de palabra», discurso leído el 26 de mayo de 2013 en su recepción pública en la Real Academia Española de la Lengua, Madrid, 2013, páginas 223 y siguientes.
2. Saber escribir, op. cit., página 481.

Todos estos factores concluyen en que la transmisión electrónica del lenguaje fomenta la informalidad que arrastra a la imprecisión y a la falta de matiz, favorece la desaconsejable forzada brevedad, propicia una concisión fruto del mecanismo de transmisión no del pulimiento de las ideas que se expresan, inclina a la acuñación de cierto código ortográfico, que, además de caer en el feísmo, entorpece el discurso natural y fácil de lo que se expone, y, por fin, abona el surgimiento de un estilo personal comunicativo que guarda poco contacto con el rigor expositivo.

B. SU DESARROLLO EN EL CAMPO JURÍDICO

1. EL PRINCIPIO GENERAL

La transmisión por medios electrónicos ha entrado en tromba en la vida jurídica. La rapidez y comodidad que ha traído es encomiable y beneficiosa para el desarrollo de la comunicación jurídica en general.

Sin embargo, no podemos perder nunca de vista en su uso que la comunicación electrónica no puede alterar las reglas de la comunicación jurídica; constituye un medio, un significante, que en su dimensión tipográfica no puede imponer sus exigencias al significado o contenido y que, salvo excepciones, tampoco puede alterar las reglas de expresión propias de tal significado o contenido.

2. LAS REGLAS EN PARTICULAR

Sentado este principio general desgranemos algunas de las reglas predicables al uso de la comunicación electrónica en el campo jurídico.

He aquí para mi la regla primordial. El correo electrónico es el cauce de transmisión cómodo y rápido, pero sólo el cauce. Lo que determina los criterios que han de guiar la estructura y contenido de lo que se transmite es la naturaleza y características sustanciales de lo que se transmite, no el cauce –electrónico– por el que se hace[3].

El libro de estilo GARRIGUES nos brinda otras pautas de atención obligada:

- «El texto del mensaje enviado por correo electrónico debe ser conciso, concreto y claro... Las cuestiones más complejas o sensibles, las que impliquen mensajes negativos y las que puedan generar algún conflicto o mala interpretación deben resolverse mejor de modo personal o haciendo uso de algún medio menos frío y directo».

---

3. Vid. en este sentido Saber escribir, op. cit., página 488.

– «La rapidez que caracteriza a las comunicaciones electrónicas no nos exime de la necesidad de observar las normas ortográficas, morfológicas y gramaticales existentes».

– «Hay que evitar siempre la tendencia, característica de los mensajes de correo electrónico, a relajar (o, en muchas ocasiones, a olvidar por completo) las normas de cortesía. El hecho de que se trabaje con un medio electrónico e inmediato no da derecho a ser maleducados ni a prescindir de las formas»[4].

---

4. Libro de estilo GARRIGUES, Thomson-Aranzadi, 2ª edición, Pamplona, 2006, páginas 252, 253 y 255.

VII

EL LENGUAJE DE LOS JURISTAS DENTRO DEL ÁMBITO JURÍDICO CON PRESENCIA DE LOS MEDIOS DE COMUNICACIÓN SOCIAL

A. ANTECEDENTES

1. El tratamiento del acceso de los medios de comunicación social al desarrollo de los trabajos judiciales, principalmente a las vistas y audiencias públicas ante los distintos órganos jurisdiccionales, cambió de un modo sustancial después de las Sentencias del Tribunal Constitucional 56 y 57/2004, de 19 de abril, y 159/2005, de 20 de junio[1]. Estas Sentencias patrocinan una interpretación reforzada del principio de publicidad de los juicios garantizado por el artículo 120.1 de la Constitución, principio que se extiende también al acceso a los juicios con cámaras fotográficas, de vídeo o televisión. El acceso de estos medios a los juicios se regía hasta las decisiones judiciales mencionadas por el criterio de la prohibición general que podía ser levantado en cada caso por autorización de la sala de justicia competente. A la luz de las Sentencias del Tribunal Constitucional mencionadas, señaló Carlos GRANADOS que: «No es compatible, pues, con la actual legislación reguladora del ejercicio de la libertad de información (artículo 24.4 CE) el establecimiento de una prohibición general con reserva de autorización en cada caso del acceso de medios de captación y difusión de imágenes en las audiencias públicas, porque la utilización de tales medios forma parte del ámbito constitucionalmente protegido por el derecho a la libertad de información que no ha sido limitado con carácter general por el legislador. La eventual limitación

---

1. Los precedentes del tratamiento de esta materia y noticias sobre la regulación comparada se encuentran en la ponencia del magistrado del Tribunal Supremo Carlos GRANADOS PÉREZ, «Actuaciones judiciales. Fiscales y los medios de comunicación social», presentada en el curso El Ministerio Fiscal y los medios de comunicación, Pazo de Mariñán, septiembre de 2006.

o prohibición de tal utilización, inicialmente permitida, ha de realizarse de forma expresa en cada caso por el órgano judicial conforme a las exigencias a las que acaba de hacerse referencia»[2].

2. Las Sentencias a las que acabo de aludir, junto a otros extremos, sirvieron de caldo de cultivo para que el Consejo General del Poder Judicial y la Fiscalía General del Estado abordaran de manera general y sistemática las relaciones con los medios de comunicación social[3]. De esta manera la Comisión de Comunicación del Consejo General del Poder Judicial aprobó el 30 de junio de 2004, con el visto bueno del Pleno de dicho órgano constitucional dado el 7 de julio del mismo año, el llamado Protocolo de Comunicación de la Justicia. Por su lado, la Fiscalía General del Estado aprobó el 7 de abril de 2005 la Instrucción 3/2005 «Sobre las relaciones del Ministerio Fiscal con los medios de comunicación».

El reforzamiento y la preocupación por su respeto de principios tan propios de la sociedad contemporánea como son los de transparencia y publicidad se encuentran en la justificación última tanto del Protocolo de Comunicación de la Justicia como de la Instrucción 3/2005. En el primero se lee: «El principio de publicidad de la justicia constituye la garantía esencial del funcionamiento del Poder Judicial en una sociedad democrática como la nuestra, no sólo porque fortalece la confianza pública en la Justicia sino también porque fomenta la responsabilidad de los órganos de la Administración de Justicia»[4]. La Instrucción 3/2005, a su vez, afirma que: «El Ministerio Fiscal debe articular unas relaciones con la prensa conforme a cánones de transparencia y claridad, posibilitando el acceso de los medios de comunicación –con las reservas y garantías necesarias– a los datos nucleares de los procesos penales en los que concurran intereses informativos»[5].

3. La noticia de todos estos pasos, impulsados formalmente por la fuerza

2. C. GRANADOS PÉREZ, «Actuaciones judiciales...», op. cit., páginas 31 y 32.
Para más detalle sobre la doctrina del Tribunal Constitucional mencionada puede consultarse a J. GÓMEZ BERMÚDEZ y E. BENI UZÁBAL, Levantando el velo, Manual de periodismo judicial, Inversiones Editoriales Dossat 2000 SL, Madrid, páginas 266 y siguientes.
3. En este sentido manifiesta con relación a la Sentencia 56/2004 del Tribunal Constitucional el redactor del diario El País Julio M. LÁZARO, «El periodismo jurídico», ponencia presentada en el curso El Ministerio Fiscal y los medios de comunicación, Pazo de Mariñán, septiembre, 2006, página 7: «La Sentencia del Tribunal Constitucional hace eclosionar, no sin fuertes resistencias, la política de transparencia informativa tanto en la judicatura como en la Fiscalía. El actual Consejo General del Poder Judicial alumbra el Protocolo de Comunicación de la Justicia en junio de 2004, apenas un par de meses después de conocida la Sentencia del Constitucional».
4. Protocolo de Comunicación de la Justicia, página 4.
5. Circular de la Fiscalía General del Estado 3/2005, página 6.

actual de la transparencia y la publicidad, constituye el antecedente previo para abordar lo que trato a continuación afectante al lenguaje jurídico.

B. PLANTEAMIENTO

Me he ocupado principalmente hasta este momento del lenguaje jurídico en sí dentro de la sociedad contemporánea.

El enfoque que ha predominado ha sido el estático y el esencialista. Vario ahora tal enfoque para acogerme al dinámico que se despliega en contacto con otros medios de expresión ajenos al lenguaje jurídico.

Al hilo de lo indicado, he de exponer mi parecer, primero, acerca del lenguaje de los juristas en el ámbito jurídico en sentido estricto en el que, además, se produzca la presencia de los medios de comunicación social, y, a continuación, acerca del tal lenguaje cuando se despliega en el ámbito jurídico entendido en sentido laxo.

C. EL LENGUAJE JURÍDICO EN EL ÁMBITO JURÍDICO EN SENTIDO ESTRICTO CON PRESENCIA DE MEDIOS DE COMUNICACIÓN SOCIAL

1. Es frecuente la presencia de medios de comunicación social en algunas fases orales de ciertos procesos jurisdiccionales, presencia amparada y favorecida por el Protocolo de Comunicación de la Justicia del Consejo General del Poder Judicial y por la Instrucción 3/2005 de la Fiscalía General del Estado.

¿Hasta qué punto dicha presencia debe afectar al lenguaje jurídico de los juristas que intervengan oralmente en tales fases?

Defiendo con firmeza que, por muy poderosa que la presión de los medios de comunicación social pueda ser, el lenguaje con el que los juristas se expresen en tales momentos ha de ser jurídico en los términos postulados a lo largo del libro.

Carecería de sentido, incumpliría su misión y, a la postre, sería contraproducente para sus propios intereses que el jurista abandonara los requerimientos del lenguaje jurídico y se entregara en los brazos del común o general como respuesta a la presencia de los medios de comunicación social.

Ahora bien, es innegable que en el supuesto al que ahora aludo el lenguaje jurídico entraría en contacto directo con el de los medios de comunicación social. Pero este contacto no puede arrastrar a la desfiguración de los rasgos esenciales del lenguaje jurídico. A lo sumo, puede llevar a la acentuación de aquellos rasgos de aquél que le puedan hacer más cercano o comprensible para los medios de comunicación social.

Junto al mantenimiento de las esencias categoriales, conceptuales y argumentativas del lenguaje jurídico, me atrevo a esbozar alguna de las características que podrían acentuarse si, ante la presencia de los medios de comunicación social, se quisiera desarrollar una intervención jurídica más accesible para ellos[6], cosa, por otro lado, deseable dada la función de traslado a los ciudadanos que los medios de comunicación social cumplen.

Acentúese la sencillez del hablar jurídico. Para ello destaco tres reglas de oro: primera, descárguesele de palabras superfluas y de incisos innecesarios; segundo, si son necesarios, vélese por colocar los incisos en el lugar más adecuado y nunca, por tanto, separando palabras o frases que estén relacionadas con lo que decrece su fuerza expresiva, y, tercera regla de oro, aténgase el autor del lenguaje jurídico que tiene un «ojillo» puesto en los medios de comunicación social presentes al orden más claro y sencillo en la construcción de las frases, es decir, háblese con el sujeto primero, con el verbo después y con el complemento por último. Además, persígase la claridad y para ello, junto a la sencillez, increméntese el orden lógico tanto formal como sustancial de la exposición.

La presencia de ciertas fórmulas de la buena retórica debe cobrar más cuerpo en estos casos. La ironía, la paradoja, la hipérbole, la prosodia cambiante, el pleonasmo medido, son, entre otras muchas, fórmulas de la buena retórica al servicio del lenguaje jurídico que quiera ser más accesible y entendible para los medios de comunicación social.

Pero, nos pongamos como nos pongamos, es inocultable la diferencia de conocimientos de carácter jurídico entre el jurista que hace uso de la palabra en el foro correspondiente y los de los medios de comunicación social que lo escuchan. Como escribe CASSANY: «Una buena estrategia retórica para salvar estos agujeros de conocimiento y léxico entre autor y destinatario consiste en adoptar el punto de vista del lector cuando formulamos una idea, e intentar expresarla con sus palabras, con sus ejemplos, con su forma de ver el mundo»[7]. Sinceramente, hasta ahí no se debe llegar. El lenguaje en el ámbito jurídico en sentido estricto debe ser el propio de los juristas por

---

6. Con cierta exageración bella y expresiva Ramón PÉREZ DE AYALA escribió en su novela corta o relato largo Justicia, incluida en La revolución sentimental, Editorial Losada, Buenos Aires, 1959, página 142: «El lenguaje de la fe dogmática varía según la inteligencia del auditorio. Y cualquier otra especie de lenguaje, inclusive, el más abstracto y preciso: el matemático. Cuando Newton tomase la cuenta a su cocinera, contaría por los dedos, sin exigirle a la fámula que comprendiese el binomio».
7. D. CASSANY, «La cocina...», op. cit., página 202.

mucho que los medios de comunicación social lo escuchen. La construcción categorial y conceptual debe ser la adecuada en términos jurídicos, y el desarrollo argumental el pertinente al fin jurídico perseguido. A lo máximo, junto a las sugerencias esbozadas en los párrafos precedentes, se podrá evitar la proliferación de términos jurídicos que, no entendibles por terceros, sean superfluos o prescindibles; se podrán explicar brevemente con léxico más accesible los conceptos jurídicos expuestos con carácter previo; se podrá hacer un esfuerzo en pos de conectar el andamiaje jurídico con la realidad circundante, y, por último, se podrá acudir más a ciertos elementos informales como compañía explicativa de los jurídico-formales.

Todo eso se podrá hacer, pero sin abandonar nunca las exigencias básicas e irrenunciables del lenguaje jurídico. Este planteamiento no responde a pruritos corporativos ni a residuos de lo jurídico-demiúrgico. La pérdida de la precisión conceptual, el olvido o incluso el empalidecimiento del andamiaje categorial, la dilución de la carga argumental, todo ello cordial en cualquier manifestación del lenguaje jurídico, conduce al enturbiamiento del desempeño adecuado de la función del Derecho, y, es más que probable, a producir efectos contrarios a los deseados por el jurista que intervenga de forma más atenta a los medios de comunicación social que a los juristas destinatarios de sus palabras.

2. Las reglas que he bosquejado en el apartado anterior, ya de por sí flexibles y amplias, deben, a su vez, acomodarse a la naturaleza y exigencias del trámite procesal en el que la intervención del jurista tenga lugar. Se comprende con facilidad que no puede ser igual la aplicación de los criterios barajados en una vista o en un recurso de casación que en un turno de preguntas a testigos en un juicio ante un juzgado de lo penal.

Las reglas esbozadas son tan flexibles que, sin perder su esencia, permiten su adaptación al momento procesal de que se trate. Corresponde a cada jurista determinar el grado y la forma de esa adaptación. Su mejor o peor estilo personal dependerá bastante del acierto o desacierto en este empeño.

D. EL LENGUAJE EN EL ÁMBITO JURÍDICO ENTENDIDO EN SENTIDO AMPLIO

a. Lo escrito en el apartado anterior atañe al ámbito jurídico en sentido estricto. Ahora nos desplazamos de ámbito, abandonamos el jurídico en sentido estricto para adentrarnos en el lenguaje oral y escrito que se despliega en ámbitos que sólo pueden ser considerados jurídicos en un sentido amplio o aproximativo.

Las exigencias de la sociedad contemporánea fomentan la aparición de figuras como la de portavoces de órganos de naturaleza jurídica y de oficinas permanentes de prensa o de relaciones con los medios de comunicación social dentro de dichos órganos. Aunque en distinto grado, con métodos diferentes y con estilo dispar, el cometido de los portavoces y de las oficinas mencionadas consiste, sin perjuicio de otros, en constituirse en cauce ordinario de relación de órganos de naturaleza jurídica con los medios de comunicación social.

En esta línea el Protocolo de Comunicación de la Justicia puso de manifiesto que: «A lo largo de los primeros meses de 2004 se han abierto cinco gabinetes de comunicación, cuatro en los tribunales de Madrid, Castilla-La Mancha, Baleares y el País Vasco, y uno en la Audiencia Nacional. Éstos se vienen a unir a los ya existentes en el Tribunal Superior de Justicia de Galicia, Cataluña, Extremadura y Valencia.

De esta forma, 9 de los 17 Tribunales Superiores de Justicia cuentan ya con profesionales del periodismo atendiendo a las necesidades informativas que, de estos Tribunales, demandan los medios de comunicación.

La Comisión de Comunicación ha acordado el día 31 de mayo de 2004 la creación del resto de los gabinetes de comunicación, con lo que el 1 de enero de 2005 habrá gabinetes en el Tribunal Supremo, la Audiencia Nacional y en los 17 Tribunales Superiores de Justicia de las Comunidades Autónomas, lo que se convierte en un hecho histórico en la Justicia española»[8].

La Instrucción de la Fiscalía General del Estado 3/2005 dispuso, por su parte, que: «En cada Fiscalía, el Fiscal Jefe, oída la Junta de Fiscales, nombrará de entre la plantilla un Fiscal que habrá de asumir la función de portavoz ante los medios de comunicación. En la selección de este Fiscal habrán de valorarse las cualidades personales de todo tipo concurrentes que aseguren un adecuado desempeño de esta función, en lo que la facilidad para transmitir mensajes y el dominio de las técnicas de comunicación y expresión son esenciales»[9].

b. ¿Cuál debe ser el lenguaje al que, en mi sentir, deben acogerse las portavocías y las oficinas de comunicación? ¿Estamos todavía en el campo propio del lenguaje jurídico?

Entiendo que, sea o no jurista el que desempeñe la portavocía, debe alejarse del lenguaje jurídico, de su ingrediente categorial y conceptual y de su peso argumentativo. Sabemos que es difícil para un jurista, que, además,

8. Protocolo de Comunicación de la Justicia, página 3.
9. Instrucción de la Fiscalía General del Estado 3/2005, página 11.

puede pertenecer al órgano de función jurídica del que sea portavoz o a los cuerpos de formación jurídica que sirvan en tales órganos, desprenderse de su capa jurídica y arroparse con la del lenguaje común. Pero el adecuado cumplimiento de su misión comunicadora lo requiere. Ya no se encuentran en un foro jurídico. Los destinatarios de sus palabras ni son normalmente juristas, ni van a tener que lidiar con categorías y conceptos jurídicos.

El portavoz de los órganos de función jurídica debe empaparse de estas premisas y acomodar su forma de expresión oral o escrita a ello. Aquí sí que es recomendable la estrategia retórica de «adoptar el punto de vista del lector cuando formulamos una idea, e intentar expresarla con sus palabras, con sus ejemplos, con su forma de ver el mundo»[10]. Una vez ampliado el contenido de esta cita al que escucha, al receptor de los mensajes verbales, es, a mi criterio, recomendable lo siguiente para que el portavoz se sitúe en el plano del destinatario:

- «Utilizar su lenguaje (el de los destinatarios): evitar palabras que desconozcan, controlar las connotaciones que puedan tener para ellos las expresiones que usamos, buscar frases hechas que conozcan, etcétera.

- Explicar las ideas a partir de sus conocimientos previos: tener siempre en cuenta lo que saben y lo que no saben, para no repetirse ni dejar de explicar lo necesario.

- Poner ejemplos relacionados con su entorno y su realidad: pensar en su entorno, en sus intereses y adaptar los ejemplos y las explicaciones a ello, emplear referentes colectivos.

- Implicarles en el texto con preguntas retóricas, exclamaciones o interpelaciones en segunda persona»[11].

A la par de lo anterior, es aconsejable que el portavoz extreme en sus intervenciones la sencillez y el tono conclusivo frente al argumentativo con alejamiento decidido de lo jurídico-categorial y conceptual.

Todas estas recomendaciones son más fáciles de llevar a la práctica en el supuesto de las oficinas de comunicación. Las portavocías, si como ocurre a menudo son ocupadas por un miembro del órgano con funciones jurídicas o perteneciente a alguno de los cuerpos que lo sirven, suelen tener ciertos pruritos profesionales y prejuicios jurídicos que hacen más difícil adaptarse al necesario lenguaje no jurídico en el desempeño de su oficio comunicador. Las oficinas de comunicación, por el contrario, suelen estar servidas por profesionales no juristas en los que no concurren las circunstancias del portavoz

---

10. D. CASSANY, «La cocina...», op. cit., página 202.
11. D. CASSANY, «La cocina...», op. cit., página 203.

y eso hace más fácil seguir las pautas que, en mi opinión, deben guiar el lenguaje oral o escrito tanto de los portavoces como de tales oficinas. Empero, no debe olvidarse que el peligro que acecha a los gabinetes de comunicación servidos por profesionales de este campo es el de la imprecisión e inexactitud con la que pueden transmitir las informaciones de naturaleza jurídica.

VIII

EL LENGUAJE JURÍDICO CORRECTO DE HOY TIENDE A SER MÁS ACCESIBLE PARA LOS MEDIOS DE COMUNICACIÓN SOCIAL

A. PLANTEAMIENTO

Arranco de esta afirmación básica: el lenguaje jurídico contemporáneo, tal como se manifiesta en las características que hemos expuesto en páginas precedentes, tiende a ser más accesible para los medios de comunicación social.

B. DESARROLLO

1. Éstas son, a mi parecer y según se desprende de las muchas consideraciones expuestas hasta aquí, las reglas de oro del lenguaje jurídico actual ya sea escrito u oral expuestas de modo muy sintético:

   – el lenguaje jurídico debe respetar el armazón conceptual y categorial inesquivable del Derecho.

   – el lenguaje jurídico debe atenerse a las exigencias argumentativas que impregnan esta forma de expresión.

   – el lenguaje jurídico debe esforzarse por ser sencillo y claro. Para ello suprimirá las palabras, construcciones y frases insignificantes y superfluas; reducirá los incisos a los estrictamente imprescindibles; prevalecerá en él siempre el orden y disposición gramatical correcta de los distintos elementos que componen las oraciones, y rehuirá las construcciones que enmarañen la palabra o la letra.

   – el lenguaje jurídico, sin relegar nunca sus esencias, debe esforzarse por ser más transparente o accesible a cuantos más ciudadanos, mejor.

2. Sentado lo anterior a título de quintaesencia propia del lenguaje jurídico que, conforme a mi forma de pensar, debe predominar hoy, pasemos a

compararlo con las exigencias del buen lenguaje periodístico. Vamos a concluir en una sorpresa que a estas alturas del libro no lo es tanto: el lenguaje jurídico correcto y sintonizador con lo que la sociedad contemporánea pide comparte muchos rasgos comunes con la forma de expresión que hoy y desde un punto de vista del deber ser ha de prevalecer en los medios de comunicación social.

3. El libro El estilo del periodista de Alex GRIJELMO constituye una completa guía para la corrección del lenguaje periodístico y de los medios de comunicación social en general.

He acudido a este libro con relación a puntos concretos en varias ocasiones a lo largo de las líneas ya transcurridas. Ahora voy a hacer lo propio aunque atenido a un enfoque distinto: el que nos brinda una visión general sobre su contenido.

Es indudable que el trabajo de GRIJELMO defiende el lenguaje de los medios de comunicación social correcto; y para ello aborda una muy amplia gama de cuestiones y, entre ellas, las reglas que debe respetar el interesado para lograr tal meta.

Espiguemos a lo largo de sus casi seiscientas páginas algunas de las reglas fundamentadoras de un lenguaje periodístico correcto acomodado a nuestros tiempos. Se barajan en tal sentido y entre otros: la claridad (página 38), el rigor en la construcción gramatical (páginas 167 y siguientes), la precisión en la puntuación (páginas 273 y siguientes), el buen estilo (páginas 303 y siguientes), la lucha contra los solecismos (páginas 407 y siguientes), así como otras muchas que, con mayor o menor pormenor, completan todo un manual del lenguaje correcto hoy de los medios de comunicación social.

Si, tras observar con detalle estas reglas y las derivaciones que emanan de ellas, las comparamos con las que he denominado reglas de oro del correcto lenguaje jurídico contemporáneo advertimos, en conclusión casi espontánea, que, salvo en lo que constituye el corazón propio de lo que hace especial al lenguaje jurídico, en lo demás coinciden los cimientos de la corrección de este último lenguaje y del propio de los medios de comunicación social. En otras palabras, la base de toda manifestación del lenguaje oral o escrito correcto es común y, por tanto, predicable tanto del lenguaje jurídico como del periodístico.

4. La convergencia apuntada entraña ciertas consecuencias destacables que debemos destacar con trazo fuerte. Conforme se den los pasos hacia su corrección bajo las premisas actuales, el lenguaje jurídico se irá transformando en más accesible y entendible para los medios de comunicación social. Se llegará a este extremo por el cumplimiento de las exigencias de la

corrección demandadas al lenguaje jurídico en sí, y por la coincidencia de parte destacada de ellas con las que por igual reclama la corrección al lenguaje de los medios de comunicación social.

IX

EL LENGUAJE DE LOS MEDIOS DE COMUNICACIÓN SOCIAL EN MATERIA JURÍDICA

A. Abandonemos por entero el ámbito jurídico ya sea en sentido estricto o amplio. Nos emplazamos en el terreno propio de los medios de comunicación social que desarrollan su tarea con relación a materias de contenido jurídico.

Los actores de este lenguaje oral o escrito no son juristas; son profesionales de los medios. Lo que se transmite en este supuesto no es información de condición jurídica sino información general que toma por base ciertos hechos jurídicos, aunque esta información general debe ser respetuosa con el contenido jurídico de lo que se transmite.

Afirma en tal sentido Bonifacio DE LA CUADRA: «Si ampliamos ese criterio (el de que se entienda lo que se dice o escribe) a la conveniencia de que la tarea jurisdiccional llegue no sólo a los afectados o a los expertos, sino a los ciudadanos en general, observamos que no basta con emplear un lenguaje claro y accesible, sino que es preciso, además, que el contenido de la resolución sea correctamente trasladado al público por los medios de comunicación social»[1].

B. El lenguaje de los medios de comunicación social en materia jurídica no debe ser jurídico, debe ser el periodístico o propio de estos medios, si bien con el adjetivo de especializado, por lo que debe ser evitado cualquier tipo de mimetismo con el lenguaje jurídico propiamente dicho[2].

¿Qué es, en criterio de quien redacta, lo más recomendable para el desarrollo del mejor periodismo especializado en materia jurídica? En pri-

---

1. B. DE LA CUADRA FERNÁNDEZ, «Visión...», op. cit., página 5.
2. Sobre el particular vid. B. DE LA CUADRA FERNÁNDEZ, «Visión...», op. cit., página 3.

mer término, procúrese despojar a este lenguaje del andamiaje conceptual, categorial y argumentativo propio del lenguaje jurídico y, después, aténgase a las reglas que favorecen la corrección del lenguaje periodístico, que, como sabemos, coinciden en no menor medida con las relativas a lo jurídico. Habrá ocasiones, empero, en las que el abandono de dicho andamiaje no sea posible; en estos caso, como señalan el magistrado Javier GÓMEZ BERMÚDEZ y la periodista Elisa BENI UZÁBAL, «una fórmula adecuada –para intentar ofrecer la información que demanda el más amplio espectro de públicos– podría pasar por la utilización del término forense correcto seguido de una explicación comprensible para el profano, de manera que la misma información sirva a aquel que tiene conocimientos jurídicos a situarse con precisión y al que no los tiene a hacerse una idea clara de lo que está sucediendo»[3].

Junto a todo ello, la especialización de este tipo de lenguaje periodístico reclama que su actor posea los conocimientos básicos y la sensibilidad pertinente que le permita captar el sentido jurídico esencial de la materia que tiene entre manos para poder así verterla con precisión y acierto al lenguaje periodístico al que debe ajustarse. Como escribe la periodista María PERAL PARRADO: «No debo ocultar la enorme responsabilidad que tenemos los periodistas al ponernos a informar de los asuntos judiciales sin tener conocimientos suficientes en la materia. Esto no es sólo un fraude a los ciudadanos que acuden a los medios para informarse, sino que además lastra muy negativamente las relaciones entre la prensa y el mundo judicial»[4].

---

3. J. GÓMEZ BERMÚDEZ y E. BENI UZÁBAL, «Levantando...», op. cit., página 249.
4. M. PERAL PARRADO, ponencia presentada en el curso Fiscalía y medios de comunicación, Pazo de Mariñán, septiembre de 2006, página 3.

X

REFLEXIÓN FINAL

Vaya por delante que sigo pensando a pies juntillas que, como señala jugosamente Camilo José Cela: «Quien esto escribe piensa: la palabra es el reflejo de la vida, la sombra y la silueta de la vida, y debajo de cada palabra subyace la idea que la hace inteligible y le da sentido; con la palabra se domeñan las almas y los corazones, se rigen las voluntades y se orientan las conciencias y las conductas. Y queda dicho lo que se acaba de decir para dar fe de que en la palabra, como en la plata, late el temblor de la historia de la que todos somos actores, cómplices y esclavos. La palabra es la herramienta del hombre, el arma con la que el hombre ama la vida, pelea con la muerte y contra la muerte y deja constancia de sí mismo y de todos sus anhelos y vicisitudes»[1].

Sin embargo, estas bellas consideraciones hay que someterlas a la cruda realidad que aporta perspectivismo orteguiano.

Con la perspectiva de los seis años transcurridos desde la primera edición la reflexión final podría sintetizarse en: mucho esfuerzo desplegado en estos años para tan poco fruto.

En efecto, tan poco fruto significa que: «Nuestra lengua común no importa a nadie. Prestar un micrófono a un español para que hable, o un telefonillo para que se solace mandando SMS, es una operación de alto

---

1. C. J. Cela, «Cuatro generaciones», ABC, domingo, 4 de octubre de 1998, página 19. Coincido con estas manifestaciones de Mª J. Castañeda Ordóñez, «El valor de las palabras: las humanidades y el lenguaje», en Donde habita el olvido. Las Humanidades hoy, L. Palacios Bañuelos (coordinador), GSED, S. L., Astorga, León (España), 2013, página 184. «Estudiar el lenguaje seduce; seduce por su grandiosidad inconmensurable y misteriosa, perfecto desde el inicio, igual y distinto, sin principio ni fin, uno y múltiple, universal y personal. Todos los contrarios convergen en este sistema de ruidos ordenados que son ideas, pensamientos, emociones, saberes, ciencias todas: nada existe fuera de nosotros, si previamente no le damos un nombre ¿Puede haber algo más humanístico que el lenguaje?».

riesgo: faltas de ortografía, trabucamientos chistosos, logomaquias, imposibilidad de que hile dos frases con un cierto sentido lógico, huelga salvaje de concordancias de género y número, incoherencias y saltos arbitrarios en el discurso, cursilerías de los políticos a base de galicismos, pavorosos por innecesarios ("poner en valor", "por el contrario", "Fulano viene de ganar X"), un elenco de instrumentos de tortura que patentiza la ignorancia del hablante tanto como la pésima instrucción pública (y privada) que reciben niños y jóvenes y la incuria, revestida de libertad, que aísla y margina a quienes –ilusos– intentan hacer las cosas bien»[2].

El mal ahonda hasta en lo literario. Escribe en tal sentido PRIETO DE PAULA: «El esoterismo terminológico prolifera como la mala hierba, aunque a veces solo sea cáscara de un fruto vano. Las gozosas incursiones en la literatura, donde el autor, por lo general un profesor o teórico literario, se dirigía al lector común y no a sus pares, han ido disminuyendo según aumentaban los productos de la erudición de acarreo, la bisutería pedagógica y la prosa mazorral»[3].

Como vasos comunicantes que son, este empeoramiento se traslada del común al lenguaje jurídico. La experiencia demuestra que la expansión del mal hablar y escribir jurídico se intensifica; los textos normativos suelen ser una guarida donde viven relajadamente las fieras de la jungla del mal lenguaje jurídico; muchas sentencias judiciales siguen alejadas de la corrección jurídico-lingüística, y bastante doctrina jurídica debería volver a las aulas escolares para adiestrarse en las reglas del lenguaje común trasladables al jurídico.

Frente a este lamentable panorama, en estos últimos años ha crecido la preocupación por el problema por parte de las entidades públicas o parapúblicas y privadas concernidas más o menos por el problema. La preocupación por la técnica legislativa[4] y la vertiente de ella que constituye el lenguaje jurídico aumenta, como se plasma en el acuerdo del consejo de ministros de 22 de julio de 2005, por el que se aprueban las directrices de técnica norma-

---

2. S. FANJUL, «País sin lengua», Tercera del ABC, sábado 29 de diciembre de 2012.
3. A. L. PRIETO DE PAULA, «Conversación con los difuntos», El País, sábado, 17 de agosto de 2013, página 27.
4. En esta materia es citable, entre otros muchos, mi libro Codificación contemporánea y técnica legislativa, Aranzadi, Pamplona, 1999. Más recientemente puede consultarse a P. GARCÍA ESCUDERO, Manual de técnica legislativa, Civitas Thomson Reuters, Madrid, 2011.
   Por otro lado, también deben tenerse en cuenta el Real Decreto 1083/2009, de 3 de julio, por el que se regula la memoria de impacto normativo, y el Acuerdo del consejo de ministros de 11 de diciembre de 2009, por el que se aprueba la guía metodológica para la elaboración de la memoria del análisis del impacto económico.

tiva. A su vez, el Ministerio de Justicia, ha impulsado la elaboración del importante informe de la Comisión de modernización del lenguaje jurídico[5]; por fin, los libros de estilo menudean en muchas entidades privadas[6].

A pesar de estos esfuerzos, «los estudios encargados para elaborar el presente informe muestran la escasa colaboración que existe en la actualidad entre los profesionales del Derecho y del lenguaje»[7]. Es esta una evidencia más de que el lenguaje jurídico, encastillado más de lo debido en las almenas de la dejadez y la falta de estima por su plasmación expresiva, no solo no ha mejorado desde la primera edición de este libro, sino que ha empeorado, y, sobre todo en el plano normativo y más en particular legislativo, empieza a poner en serio peligro la seguridad jurídica, que permite encauzar correctamente las relaciones sociales en el más amplio sentido.

Frente a esta lamentable situación resulta paradójico que, sentadas sólidamente las bases doctrinales y hasta preceptivas que mejorarían el lenguaje jurídico actual en los términos bosquejados en líneas atrás, los pasos que habría que dar para la pronta mejora de aquél estén definidos y no sean muy difíciles de dar.

Sugiero algunas de estas medidas que, de llevarse a la práctica, contribuirían decisivamente a mejorar nuestro deteriorado lenguaje jurídico. Dese cumplimiento al Acuerdo del de 22 de julio de 2005 y a tal fin desígnese en la secretaría general técnica de cada departamento ministerial una persona encargada de velar por dicho cumplimiento en lo concerniente a las disposiciones emanadas del propio departamento ministerial o a las que éste tenga que informar. Preste el Consejo de Estado aún más atención de la que ya presta a la corrección del lenguaje jurídico. Quítense las Cortes Generales la venda que parecen haberse puesto ante la incorrección del lenguaje jurídico predominante en bastante de las disposiciones que pasan por ellas, y exíjase y permítase a los letrados al servicio de las Cámaras que asesoren efectivamente en la materia que nos centra.

Hago un punto y aparte para contribuir a destacar un paso que considero crucial en la tarea de mejorar nuestro lenguaje jurídico. Defiendo que las Reales Academias de la Lengua y de Jurisprudencia y Legislación, en

---

5. Sobre este informe puede consultarse el artículo de E. MONTALIO DURÁN, «La modernización del discurso jurídico español impulsada por el Ministerio de Justicia. Presentación y principales aportaciones del informe del lenguaje escrito», Revista de Llengua i Dret, número 57, 2012, páginas 95 y siguientes, y la ponencia presentada por Jesús Mª GARCÍA CALDERÓN en el I Curso de modernización del lenguaje jurídico, bajo el título «Un nuevo derecho a comprender», páginas 6 y siguientes del texto.
6. Un ejemplo, entre muchos mencionables, es el del libro de estilo de Iberdrola.
7. Informe de la Comisión de modernización del lenguaje jurídico, página 21.

cumplimiento de los elevados cometidos que las incumben, desempeñen con fuerza y prestigio un papel activo en tan importante tarea[8]. La creación de una comisión conjunta de ambas Reales Academias, que, debidamente dotada, se ocupase del lenguaje jurídico actual, podría ser uno de los caminos que contribuyera a llegar a la tan deseada meta[9].

---

8. Aunque referida a materias distintas, conecta con esta idea las siguientes consideraciones de C. NOMBELA, «El español, lengua internacional y del conocimiento», Tercera del ABC, miércoles, 14 de agosto de 2013: «Igualmente importante es la labor de academias e instituciones relacionadas. Creo que no es mucho postular que exista una coordinación, entendida como integración de esfuerzos, entre las academias de la lengua, ciencias, medicina, farmacia, ingeniería, etc. que tanto tienen que aportar para el correcto uso de la lengua en ciencia y tecnología».
9. Esta idea conecta con lo sugerido a la Real Academia de Jurisprudencia y Legislación por el grupo de investigación Derecho y lenguaje de la Universidad Pontifica de Comillas en febrero de 2012.